Wat&Hoe
Russisch

Samengesteld door Van Dale Lexicografie bv
Russisch: Aai Prins, m.m.v. Veronika Skouratovskaia

KOSMOS TAALGIDS

UTRECHT/ANTWERPEN

Nuttige adressen

In Nederland:	Russische ambassade, Andries Bickerweg 2, 2517 JP Den Haag. Consulaire Afdeling (o.a. voor aanvragen en afgifte van visa voor de individuele toerist): Laan van Meerdervoort 1, 2517 AA Den Haag, tel: 070 - 3467940, geopend: maandag, woensdag, vrijdag 10 – 12 uur. ANWB Alarmcentrale tel.: 070 - 3141414 (N.B. direct telefoneren uit de Sovjetunie is niet mogelijk)	
In Moskou:	Nederlandse Ambassade Kalašnyj Pereulok 6 tel.: 2912999, 2912954 Nederlandse consulaire afdeling: Ulitsa Bolshaja Ordynka 56 tel.: 2382732	Посольство Нидерландов Калашный переулок 6 тел. 2912999, 2912954 Консульское отделение ул. Большая Ордынка 56 тел. 2382732
	Belgische Ambassade Stolovyj Pereulok 7a tel.: 2916018	Посольство Бельгии Столовый переулок 7a тел. 2916018
In België:	Russische ambassade De Frebaan 66 1180 Brussel, tel.: 2-3743406	

6e druk, 1992

Coördinatie vertaalwerk LEd - Utrecht
Vormgeving: Karel van Laar
Tekeningen: Richard Flohr
ISBN 90 215 1838 4
D/1992/0108/559
NUGI 471
CIP

Inhoudsopgave

Woord vooraf

Deze nieuwe editie van de vertrouwde ***Wat & Hoe Russisch*** is in samenwerking met Van Dale Lexicografie aanmerkelijk verbeterd. De hele tekst is ingrijpend gewijzigd en aangepast aan het moderne toerisme. Zo is er meer aandacht besteed aan het reizen met kinderen (kinderstoel, pretpark).
Deze taalgids biedt u uitkomst in verschillende situaties.
Met de gids in de hand zukt u er zeker in slagen om duidelijk te maken wat u bedoelt. In veel gevallen echter zal uw gesprekspartner dan reageren met een vraag of opmerking. En wat dan? U verstaat immers geen Russisch?
In de gids vindt u per situatie een groot aantal mogelijke **antwoorden** (met de Nederlandse vertaling), die u aan uw gesprekspartner kunt voorleggen. Bijvoorbeeld: u vraagt om een treinkaartje naar X en de lokettist reageert met een wedervraag. Als u hem de gids voorhoudt, zal hij aanwijzen wat hij bedoelde, bijvoorbeeld *Enkele reis of retour?* of *Met hoeveel personen reist u?*
Ook kunt u met deze gids **eigen zinnen maken** met behulp van de woordenlijst achterin.
In veel gevallen hebt u te maken met Russische opschriften of korte teksten die u wilt begrijpen. Denk aan een menukaart of het weerbericht in de krant. In veel hoofdstukjes is daarom een **alfabetische lijst van Russische termen** opgenomen.
Bovendien kunt u deze gids ook gebruiken als een eerste hulpmiddel bij het leren van de Russische taal. Daarom wordt er achterin iets verteld over de **Russische grammatica**. Tenslotte vindt u in en achter op deze *Wat & Hoe*-gids handige lijstjes met uitdrukkingen die in aanmerking komen om uit het hoofd geleerd te worden.

Redactie *Wat & Hoe* - taalgidsen

Uitspraak

Het is uitgesloten dat u uit een boekje de correcte uitspraak kunt leren van een vreemde taal die u niet of nauwelijks kent. Wanneer u wilt dat uw Russisch gaat klinken als dat van een Rus, dan biedt deze taalgids u daarbij geen hulp. We zijn er wel in geslaagd om in deze taalgids een uitspraak weer te geven die u gemakkelijk kunt lezen en waarmee u in elk geval begrepen zult worden. Daartoe hebben we een eigen transcriptiesysteem ontwikkeld dat in alle *Wat & Hoe*-taalgidsen wordt gebruikt. Het heeft de volgende kenmerken:

- Het is ondubbelzinnig. Daarmee bedoelen we dat een letter of lettercombinatie altijd een bepaalde klank weergeeft. In normaal Nederlands is dat niet zo. In een woord als *welzeker* staat de *e* voor drie verschillende klanken. In het *Wat & Hoe*-systeem zou dit woord worden weergegeven als *welzeekər*.
- Het sluit zo veel mogelijk aan bij het Nederlands, dus er komen zo min mogelijk accenten en vreemde tekens in voor.
- De klemtoon van elk woord is aangegeven door onderstreping van de klinker(s).
- Zogenaamde lange klinkers (*aa ee* enz.) worden in de uitspraakweergave altijd geschreven als een dubbele klinker, dat wil zeggen dat een enkele *e altijd* kort is (als in mes) en een dubbele *ee altijd* lang (als in z*ee*man, caf*é* en b*e*rekuil)

Beklemtoonde lettergrepen zijn in het Russisch erg belangrijk voor de uitspraak. Zij trekken het accent weg van de onbeklemtoonde lettergrepen en zijn ook langer dan de onbeklemtoonde. Probeert u zich daarom op de beklemtoonde lettergrepen te concentreren. Een vraagzin is niet altijd herkenbaar aan de woordvolgorde, zoals in het Nederlands. Wel kan men een vraag herkennen aan het accent in de zin: het woord waar de vraag om draait krijgt namelijk een opvallend extra accent.

Als klinkers onbeklemtoond zijn, verandert hun uitspraak. Het Russische woordbeeld en de hier gebruikte transcriptie kunnen daar-door sterk afwijken; laat u zich hierdoor niet in verwarring brengen.

Aangezien het Russisch een aantal klanken kent die in het Nederlands niet voorkomen, behoeft een aantal letters en symbolen in de uitspraakweergave nadere uitleg.

de	ĝ	als in het Engelse *g*oal
de	zj	als in horlo*g*e
de	ch	als in *ch*aos
de	ts	als in *ts*aar
de	tsj	als in *Tsj*ech

de tj als in *Tj*eerd
de y houdt het midden tussen de 'i' en de 'u'. De juiste uitspraak krijgt u door de lippen te spreiden als bij de uitspraak van de 'ie' doch een 'u' uit te spreken. Als dit problemen oplevert kunt u zich het beste houden aan een korte 'i' (als in *i*k)
de ə als in d*e* en d'r. Dit is de zg. 'stomme e'. Deze is *nooit* beklemtoond.
de – Dit zg. scheidingsstreepje geeft aan dat de twee omringende klanken elk afzonderlijk worden uitgesproken.

De overige letters klinken precies als in het Nederlands.

Het Russische alfabet		Uitspraak
А	а	a als in l*a*m
Б	б	b als in *b*oek
В	в	w als in *w*aak
Г	г	g als in *g*oal
Д	д	ḑ als in *d*ak
Е	е	je als in *je*kker
Е	ё	jo als in *jo*kken
Ж	ж	zj als in horlo*g*e
З	з	z als in *z*aal
И	и	ie als in M*ie*s
Й	й	j als in *j*aar
К	к	k als in *k*ast
Л	л	l als in *l*ast
М	м	m als in *m*an
Н	н	n als in *n*at
О	о	o als in p*o*t
П	п	p als in *p*an
Р	р	r als in *r*at
С	с	s als in *s*om
Т	т	t als in *t*ak
У	у	oe als in b*oe*f
Ф	ф	f als in *f*eest
Х	х	ch als in *ch*aos
Ц	ц	ts als in *ts*aar
Ч	ч	tsj als in *Tsj*ech
Ш	ш	sj als *sj*ouwen
Щ	щ	ssj als in appel*s sj*ouwen
	ъ	wordt niet uitgesproken
	ы	y zie Uitspraak
	ь	wordt niet uitgesproken
Э	э	e als in *e*cht
Ю	ю	joe als in *joe*len
Я	я	ja als in *ja*s

De corresponderende Kosmos-reisgids is: Moskou en St. Petersburg

1 Handige rijtjes

1.1 Vandaag of morgen?

Welke dag is het vandaag?	• Какой сегодня день? *kakoj səwodnjə djeen?*
Vandaag is het maandag	• Сегодня понедельник *səwodnjə panjədjeelniek*
– dinsdag	• вторник *ftorniek*
– woensdag	• среда *srəda*
– donderdag	• четверг *tsjətwjerk*
– vrijdag	• пятница *pjatnietsa*
– zaterdag	• суббота *soebota*
– zondag	• воскресенье *waskrəseenjə*
in januari	• в январе *w jənwarje*
sinds februari	• с февраля *s fjəwralja*
in de lente	• весной *wjəsnoj*
in de zomer/'s zomers	• летом *ljetam*
in de herfst	• осенью *osənjoe*
in de winter/'s winters	• зимой *ziemoj*
1992	• тысяча девятьсот девяносто второй год *tysətsjə djeewətsot djeewənosta ftaroj ĝot*
de 20ste eeuw	• двадцатый век *dwatsaty wjek*
De hoeveelste is het vandaag?	• Какое сегодня число? *kakojə səwodnjə tsjieslo?*
Vandaag is het de 24ste	• Севодня двадцать четвёртое *səwodnjə dwatsat tsjətwjortajə*

maandag, 3 november 1992	• понедельник, третье ноября тысяча девятьсот девяносто второго года *panjədjeelniek, treetjə najəbrja tysətsjə djeewətsot djeewənosta ftarowa ĝoda*
-	
's morgens	• утром *oetram*
's middags	• днём *dnjom*
's avonds	• вечером *weetsjəram*
's nachts	• ночью *notsjoe*
vanmorgen	• сегодня утрам *səwodnjə oetrom*
vanmiddag	• серодня днём *səwodnjə dnjom*
vanavond	• сегодня вечером *səwodnjə weetsjərom*
vannacht (komende nacht)	• сегодня ночью *səwodnjə notsjoe*
vannacht (afgelopen nacht)	• прошлой ночью *prosjləj notsjoe*
deze week	• на этой неделе *na etəj njədjeeljə*
volgende maand	• в следующем месяце *w sledoejoessjəm meesətsə*
vorig jaar	• в прошлом году *w prosjlam ĝadoe*
aanstaande ...	• следующий ... *sledoejoessjie ...*
over ... dagen/weken/ maanden/jaar	• через ... дней/недель/месяцев/лет *tsjeerəs ... dnjeej/njədjeel/meesətsəf/ljet*
... weken geleden	• ... недель тому назад *... njədjeel tamoe nazat*
vrije dag	• выходной день *wychadnoj djeen*

1.2 Feestdagen

De belangrijkste nationale feestdagen in Rusland zijn de volgende:

1 januari	Nieuwjaar (Новый Год *nowy ĝot*)
8 maart	Internationale vrouwendag (Международный женский день *məzjdoenarodny zjeenskie djeen*)
1-2 mei	Dagen van de Arbeid (День международной солидарности трудящихся *djeen məzjdoenarodnəj saliedarnastie troedjassjiechsə*)
9 mei	Bevrijdingsdag (День Победы *djeen pabjedy*)
7 oktober	Dag van de Grondwet (День Конституции *djeen kanstietoetsie-ie*)
7-8 november	Herdenking van de Oktoberrevolutie (Великая Октябрьская Социалистическая Революция *wjəliekaja aktjabrskaja satsie-aliestietsjɔkaja rəwaljoetsieja*)

Op deze dagen zijn winkels, banken en overheidsinstellingen gesloten. Mogelijk leiden de recente politieke ontwikkelingen tot wijzigingen in de nationale feestdagen.
In toenemende mate worden ook religieuze feestdagen gevierd.
De Russisch-Orthodoxe kerk hanteert nog steeds de Juliaanse kalender, die 13 dagen achterloopt bij 'onze' gregoriaanse kalender.
De belangrijkste Russisch-Orthodoxe feestdagen zijn:

Pasen (Пасха *pascha*)	Afhankelijk van de maanstand tegelijk met 'ons' Pasen, één week of vijf weken later.
Hemelvaart (Вознесение *waznjəseeniejɔ*)	40 dagen na Pasen
Pinksteren (Троицын день *tro-ietsyn djeen*)	50 dagen na Pasen
Kerstmis (Рождество *razjdjəstwo*)	7 januari

1.3 Hoe laat is het?

Hoe laat is het?	• Который час? *katory tsjas?*
Het is 9.00 uur	• Девять часов *djeewət tsjəsof*
– 10.05	• Десять часов пять минут *djeesət tsjəsof pjat mienoet*
– 11.15	• Одиннадцать часов пятнадцать минут *adienatsat tsjəsof pjətnatsat mienoet*
– 12.20	• Двенадцать часов двадцать минут *dwənatsat tsjəsof dwatsat mienoet*

– 13.30	• Половина второго *palawiena ftarowa*
– 14.35	• Без двадцати пяти три *bjes dwatsatie pjətie trie*
– 15.45	• Без четверти четыре *bjes tsjetwərtie tsjətyrjə*
– 16.50	• Без десяти пять *bjes djesətie pjat*
– 12.00 ’s middags	• Двенадцать часов дня *dwənatsat tsjəsof dnja*
– 12.00 ’s nachts	• Двенадцать часов ночи *dwənatsat tsjəsof notsjie*
een half uur	• полчаса *poltsjəsa*
Om hoe laat?	• В котором часу? *w katoram tsjəsoe?*
Hoe laat kan ik langs-komen?	• В котором часу мне прийти? *w katoram tsjəsoe mnje prietie?*
Om ...	• В ... *w ...*
Na ...	• После ... *poslə ...*
Voor ...	• До ... *da ...*
Tussen ... en ...	• Между ... и ... *mjezjdoe ... ie ...*
Van ... tot ...	• С ... до ... *s ... da ...*
Over ... minuten	• Через ... минут *tsjeerəs ... mienoet*
... uur	• Через ... часов *tsjeerəs ... tsjəsof*
een kwartier	• Через четверть часа *tsjeerəs tsjetwərt tsjəsa*
drie kwartier	• Через сорок пять минут *tjeerəs sorak pjat mienoet*
te vroeg/laat	• слишком рано/поздно *sliesjkam rana/pozna*
op tijd	• вовремя *wowreemja*
zomertijd	• летнее время *leetnjəjə wreemja*

wintertijd	• зимнее время	*ziemnjəjə wreemjə*

1.4 Een, twee, drie ...

0	ноль/нуль	*nolj/noel*
1	один	*adien*
2	два	*dwa*
3	три	*trie*
4	четыре	*tsjətyrjə*
5	пять	*pjat*
6	шесть	*sjeest*
7	семь	*seem*
8	восемь	*wosəm*
9	девять	*djeewət*
10	десять	*djeesət*
11	одиннадцать	*adienatsat*
12	двенадцать	*dwənatsat*
13	тринадцать	*trienatsat*
14	четырнадцать	*tsjətyrnatsat*
15	пятнадцать	*pjətnatsat*
16	шестнадцать	*sjəsnatsat*
17	семнадцать	*səmnatsat*
18	восемнадцать	*wosəmnatsat*
19	девятнадцать	*djeewətnatsat*
20	двадцать	*dwatsat*
21	двадцать один	*dwatsat adien*
22	двадцать два	*dwatsat dwa*
30	тридцать	*trietsat*
31	тридцать один	*trietsat adien*
32	тридцать два	*trietsat dwa*
40	сорок	*sorak*
50	пятьдесят	*pjədjes-jat*
60	шестьдесят	*sjəsdjes-jat*
70	ссмьдесят	*seemdjesət*
80	восемьдесят	*wosəmdjesət*
90	девяносто	*djeewənosta*
100	сто	*sto*
101	сто один	*sto adien*
110	сто десять	*sto djeesət*
120	сто двадцать	*sto dwatsat*

200	двести	*dweestie*
300	триста	*triesta*
400	четыреста	*tsjətyrəsta*
500	пятьсот	*pjətsot*
600	шестьсот	*sjəssot*
700	семьсот	*səmsot*
800	восемьсот	*wosəmsot*
900	девятьсот	*djeewətsot*
1000	тысяча	*tysətsjə*
1100	тысяча сто	*tysətsjə sto*
2000	две тыячи	*dwe tysətsjie*
10.000	десять тысяч	*djeesət tysətsj*
100.000	сто тысяч	*sto tysətsj*
miljoen	миллион	*mielie-on*
1e	первый	*pjerwy*
2e	второй	*ftaroj*
3e	третий	*treetie*
4e	четвёртый	*tsjətwjorty*
5e	пятый	*pjaty*
6e	шестой	*sjəstoj*
7e	седьмой	*sədmoj*
8e	восьмой	*wasmoj*
9e	девятый	*djəwjaty*
10e	десятый	*djəs-jaty*
11e	одиннадцатый	*adienatsaty*
12e	двенадцатый	*dwənatsaty*
13e	тринадцатый	*trienatsaty*
14e	четырнадцатый	*tsjətyrnatsaty*
15e	пятнадцатый	*pjətnatsaty*
16e	шестнадцатый	*sjəsnatsaty*
17e	семнадцатый	*səmnatsaty*
18e	восемнадцатый	*wosəmnatsaty*
19e	девятнадцатый	*djeewətnatsaty*
20e	двадцатый	*dwatsaty*
21e	двадцать первый	*dwatsat pjerwy*
22e	двадцать второй	*dwatsat ftaroj*
30e	тридцатый	*trietsaty*
100e	сотый	*soty*
1000e	тысячный	*tysətsjny*

eenmaal

- раз
  ras

tweemaal • дважды
dwazjdy

het dubbele • вдвойне
wdwajnje

het driedubbele • втройне
ftrajnje

de helft • половина
palawiena

een kwart • четверть
tsjetwərt

een derde • треть
treet

een paar, een aantal, enkele • несколько
njeskolka

2 + 4 = 6 • два плюс четыре равняется шести
dwa pljoes tsjətyrjə rawnjajətsə sjəstie

4 − 2 = 2 • четыре минус два равняется двум
tsjətyrjə mienoes dwa rawnjajətsə dwoem

2 x 4 = 8 • два на четыре равняется восьми
dwa na tsjətyrjə rawnjajətsə wasmie

4 : 2 = 2 • четыре разделить на два равняется двум
tsjətyrjə razdjəliet na dwa rawnjajətsə dwoem

even/oneven • чётно/нечётно
tsjotna/njetsjotna

(in) totaal • в итоге
wytoĝjə

6 x 9 (zes bij negen, oppervlaktemaat) • шесть на девять
sjeest na djeewət

1.5 Het weer

Wordt het mooi/slecht weer? • Будет хорошая/плохая погода?
boedjət charosjaja plachaja paĝoda?

Wordt het kouder/warmer? • Похолодает?/Потеплеет?
pachaladajət?/patjəpleejət?

Hoeveel graden wordt het? • Сколько будет градусов?
skolka boedjət ĝradoesaf?

Gaat het regenen?	• Будет дождь? *boedjət dosjt?*
– stormen?	• Будет буря? *boedjət boerja?*
– sneeuwen?	• Пойдет снег? *pajdjot snjek?*
– vriezen?	• Будет мороз? *boedjət maros?*
– dooien?	• Будет оттепель? *boedjət otjəpjeel?*
– misten?	• Будет туман? *boedjət toeman?*
Komt er onweer?	• Будет гроза? *boedjət ĝraza?*
Het weer slaat om	• Погода меняется *paĝoda mjənjajətsə*
Het koelt af	• Холодает *chaladajət*
Wat voor weer wordt het vandaag/morgen?	• Какая будет сегодня/завтра погода? *kakaja boedjət səwodnjə/zaftra paĝoda?*

погода het weer	**мороз** vorst
безоблачно onbewolkt	**облачно** bewolkt
ветер wind	**прохладно** koel
ветрено winderig	**свежо** fris
сильный ветер sterke wind	**снег** sneeuw
гололедица ijzel	**солнечно** zonnig
град hagel	**сыро** vochtig
дождь regen	**тепло** warm/zacht
душно benauwd	**туман** mist
(очень) жарко (zeer) heet	**(очень) холодно** zeer koud

... градусов ниже/выше нуля ... graden onder nul **максимальная/минимальная температура около ...** maximum/minimum temperatuur rond ... **облачная погода с прояснениями** bewolkt met opklaringen	**временами ...** hier en daar ... **временами дождь/снег** hier en daar een bui/sneeuwval **северный/восточный/южный/ западный ветер** noorden-/oosten-/zuiden-/westen-wind

1.6 Hier, daar, ...

Zie ook 5 *De weg vragen*.

hier/daar	• здесь/там *zdjees/tam*
ergens/nergens	• где-то/нигде *ĝdjeta/nieĝdje*
overal	• везде *wjəzdje*
ver weg/dichtbij	• далеко/близко *daljəko/blieska*
naar rechts/links	• направо/налево *naprawa/naljewa*
rechts/links van	• справа/слева от *sprawa/sljewa at*
rechtdoor	• прямо *prjama*
via	• через *tsjeerəs*
in	• в *w*
op	• на *na*
onder	• под *pot*
tegen	• против *protief*
tegenover	• напротив *naprotief*
naast	• возле *wozlə*

bij	• у *oe*
voor	• перед *pjeerət*
in het midden	• в середине *w serədienjə*
naar voren	• вперёд *fpjərjot*
beneden	• внизу *wniezoe*
naar beneden	• вниз *wnies*
boven	• наверху *nawjərchoe*
naar boven	• наверх *nawjerch*
binnen	• внутри *wnoetrie*
naar binnen	• внутрь *wnoetr*
buiten	• снаружи *snaroezjy*
naar buiten	• наружу *naroezjoe*
achter	• сзади *zzadie*
naar achter	• назад *nazat*
vooraan	• впереди *fpjerədie*
achteraan	• позади *pazadie*
in het noorden	• на севере *na seewərjə*
naar het zuiden	• на юг *na joek*
uit het westen	• с запада *s zapada*
van het oosten	• с востока *s wastoka*
ten ... van	• на ... от *na ... at*

1.7 Wat staat er op dat bordje?

Zie 5.3 voor verkeersborden.

администрация
beheerder
вода не для питья
geen drinkwater
вход
ingang
вход бесплатный/свободный
gratis toegang
высокое напряжение
hoogspanning
выход
uitgang
женский туалет
damestoilet
заказано
gereserveerd
закрыт на обед
gesloten voor de lunch
закрыт на (капитальный) ремонт
wegens verbouwing gesloten
запасный выход
nooduitgang
запасный тормоз
noodrem
запрещено разжигать костёр
verboden vuur te maken
запрещено для домашних животных
verboden voor huisdieren
информация
informatie
к поездам
naar de treinen
к себе/от себя
trekken/duwen
касса
kassa
купаться воспрещается
verboden te zwemmen
лестница
trap
лифт
lift
место для инвалидов и пассажиров с детьми
plaats voor invaliden en passagiers met kinderen
мужской туалет
herentoilet
не беспокоить
niet storen
не влезай, убьёт
niet betreden, levensgevaarlijk
не высовываться
niet naar buiten leunen
не курить
verboden te roken
не работает
buiten werking
не трогать
niet aanraken
огнеопасно
brandgevaar
опасно
gevaarlijk
осторожно
voorzichtig
осторожно, злая собака
wacht u voor de hond
осторожно, окрашено
pas geverfd
открыто/закрыто
open/gesloten
питьевая вода
drinkwater

платформа
perron
по газону не ходить
niet op het gras lopen
пожарная лестница
brandtrap
посторонним вход воспрещён
verboden toegang voor onbevoegden
продаётся
te koop
путь
spoor
рабочее время
werktijden
регистратура
hier melden
свободных мест нет
uitverkocht (in theater etc.)
сдаётся в наём
te huur
смертельно опасно
levensgevaarlijk
фотографировать воспрещается
verboden te fotograferen
частная собственность
privé (eigendom)
частное владение
privé
эскалатор
roltrap
этаж
etage

1.8 Telefoonalfabet

а	*(a)*	как Анна	*kak ana*
б	*(be)*	как Борис	*kak baries*
в	*(we)*	как Виктор	*kak wiektar*
г	*(ĝe)*	как Григорий	*kak ĝrieĝory*
д	*(de)*	как Дмитрий	*kak dmietrie*
е	*(je)*	как Елена	*kak jəljena*
ё	*(jo)*	как Ёлка	*kak jolka*
ж	*(zje)*	как Женя	*kak zjeenja*
з	*(ze)*	как Зоя	*kak zoja*
и	*(ie)*	как Ирина	*kak ieriena*
й	*(ie kratkie)*	как Йод	*kak jot*
к	*(ka)*	как Константин	*kak kanstantien*
л	*(el)*	как Лиза	*kak lieza*
м	*(em)*	как Мария	*kak marieja*
н	*(en)*	как Наташа	*kak natasja*
о	*(o)*	как Ольга	*kak olĝa*
п	*(pe)*	как Пётр	*kak pjotr*
р	*(er)*	как Руслан	*kak roeslan*
с	*(es)*	как Семён	*kak səmjon*
т	*(te)*	как Татяна	*kak tatjana*
у	*(oe)*	как Украина	*kak oekra-iena*
ф	*(ef)*	как Фёдр	*kak fjodr*

х	*(cha)*	как Харьков	*kak charkaf*
ц	*(tse)*	как Царица	*kak tsarietsa*
ч	*(tsje)*	как Чехов	*kak tsjechaf*
ш	*(sja)*	как Шура	*kak sjoera*
щ	*(ssja)*	как Щука	*kak ssjoeka*
ъ	*(twjordy znak)*	nooit aan het begin van een woord	
ы	*(y)*	nooit aan het begin van een woord	
ь	*(mjachkie znak)*	nooit aan het begin van een woord	
э	*(e)*	как Эрик	*kak eriek*
ю	*(joe)*	как Юрий	*kak joerie*
я	*(ja)*	как Яна	*kak jana*

1.9 Persoonlijke gegevens

Het Russisch kent naast de voor- en achternaam ook de zogenaamde 'vadersnaam', afgeleid van de voornaam van de vader. Bijvoorbeeld
Пётр *Иванович* Портной
pjotr iewanowietsj partnoj
Анна *Петровна* Крылова
ana pjətrowna krylowa
Deze 'vadersnaam' wordt, in combinatie met de voornaam, voornamelijk in beleefdheidsvormen gebruikt.

achternaam	• фамилия
	famielieja
voornaam	• имя
	iemja
vadersnaam	• отчество
	otsjəstwo
voorletters	• инициалы
	ienietsie-aly
adres (straat/nummer)	• адрес (улица/дом)
	adrəs (oelietsa/dom)
postcode/woonplaats	• индекс/местожительство
	iendəks mjestazjytjəlstwo

geslacht m/v	• пол (м/ж) *pol (m/zj)*
nationaliteit	• национальность *natsie-analnast*
geboortedatum	• дата рождения *data razjdjeenieja*
geboorteplaats	• место рождения *mjesto razjdjeenieja*
beroep	• профессия *prafeesieja*
gehuwd/ongehuwd/ gescheiden (tussen haakjes de vrouwelijke vorm)	• женат (замужем)/не женат (не замужем)/разведён (разведена) *zjənat (zamoezjəm)/nje zjənat (nje zamoezjəm)/razwədjon (razwədjəna)*
weduwe/weduwnaar	• вдова/вдовец *wdawa/wdawjets*
(aantal) kinderen	• дети *djeetie*
nummer identiteitsbewijs (paspoort/rijbewijs)	• номер удостоверения лииности (номер паспорта/номер водительских прав) *nomjər oedastawjəreenieja lietsjnastie (nomjər pasparta/nomjər wadietjəlskiech praf)*
plaats en datum van afgifte	• место и дата выдачи *mjesto ie data wydatsjie*

2 Plichtplegingen

2.1 Begroeten

Dag meneer Willemsen	• Здравствуйте господин Вилемсен *zdrastwoejtjə ĝaspadien Willemsen*
Dag mevrouw van Dijk	• Здравствуйте госпожа ван Дейк *zdrastwoejtjə ĝaspadzja van Dijk*
Hallo, Peter	• Привет, Петер *priewjet, Peter*
Hoi, Heleen	• Привет Хелен *priewjet, Heleen*
Goedemorgen mevrouw	• Доброе утро госпожа *dobrajə oetro ĝaspazja*
Goedemorgen meneer	• Добрый день господин *dobry djeen ĝaspadien*
Goedenavond	• Добрый вечер *dobry weetsjər*
Goedendag	• Добрый день *dobry djeen*
Hoe gaat het ermee?	• Как поживаете? Как дела? *kak pazjywajətjə?, kak djəla?*
Prima, en met u?	• Хорошо, а вы? *charasjo, a wy?*
Uitstekend	• Отлично *atlietsjna*
Niet zo goed	• Не очень *njə otsjən*
Gaat wel	• Ничего *nietsjəwo*
Ik ga maar eens	• Я, пожалуй, пойду *ja, pazjaloej pajdoe*
Ik moet er vandoor. Er wordt op mij gewacht.	• Я должен идти. Меня ждут. *ja dolzjən ietie. mjənja zjdoet*
Dag!	• Пока! *paka!*
Tot ziens	• До свидания *daswiedanieja*
– gauw	• До скорого *da skorawa*

– straks	• До скорого *da skorawa*
– zo	• Пока *paka*
Welterusten	• Спокойной ночи *spakojnəj notsjie*
Goedenacht	• Доброй ночи *dobrəj notsjie*
Het beste	• Всего лучшего *fsəwo loetsjəwa*
Veel plezier	• Всего хорошего *fsəwo charosjəwa*
Veel geluk	• Удачи *oedatsjie*
Prettige vakantie	• Хорошего отдыха *charosjəwa odycha*
Goede reis	• Счастливого пути *ssjasliewawa poetie*
Bedankt, insgelijks	• Спасибо, вам того же *spasieba, wam tawozjə*
De groeten aan ...	• Привет ... *priewjet ...*

2.2 Hoe stel je een vraag?

Wie?	• Кто? *kto?*
Wie is dat?	• Кто это? *kto eto?*
Wat?	• Что? *sjto?*
Wat is hier te zien?	• Что здесь можно посмотреть? *sjto zdjees mozjna pasmatreet?*
Wat voor soort hotel is dat?	• Что это за гостиница? *sjto eto za Gastienietsa?*
Waar?	• Где? *Gdje?*
Waar is het toilet?	• Где туалет? *Gdje toe-aljet?*
Waar gaat u naar toe?	• Куда вы идёте? *koeda wy iedjotjə?*
Waar komt u vandaan?	• Откуда вы? *atkoeda wy?*

Hoe?
• Как?
kak?

Hoe ver is dat?
• Как это далеко?
kak eto daljəko?

Hoelang duurt dat?
• Сколько это длится?
skolka eto dlietsə?

Hoelang duurt de reis?
• Сколько длится путешествие?
skolka dlietsə poetjəsjestwiejə?

Hoeveel?
• Сколько?
skolka?

Hoeveel kost dit?
• Сколько это стоит?
skolka eto sto-iet?

Hoe laat is het?
• Который час?
katory tsjas?

Welk? Welke? (enkelvoud/meervoud)
• Который? Которые?
katory? katoryjə?

Welk glas is voor mij?
• Которая рюмка для меня?
katoraja rjoemka dlja mjənja?

Wanneer?
• Когда?
kaĝda?

Wanneer vertrekt u?
• Когда вы уезжаете?
kaĝda wy oejezjajətjə?

Waarom?
• Почему?
patsjəmoe?

Kunt u me ...?
• Не могли бы вы ...?
nje maĝlie by wy ...?

Kunt u me helpen a.u.b.?
• Не могли бы вы мне помочь?
nje maĝlie by wy mnje pamotsj?

Kunt u me dat wijzen?
• Не могли бы вы мне показать?
nje maĝlie by wy mnje pakazat?

Kunt u met me meegaan a.u.b.?
• Не могли бы вы пойти со мной?
nje maĝlie by wy pajtie samnoj?

Wilt u ...?
• Вы можете ...?
wy mozjətjə...?

Wilt u voor mij kaartjes reserveren a.u.b.?
• Вы можете заказать для меня билеты?
wy mozjətjə zakazat dlja mjənja bieljety?

Weet u ...?
• Вы знаете ...?
wy znajətjə ...?

Weet u misschien een ander hotel?
• Вы не знаете другую гостиницу?
wy nje znajətjə droeĝoejoe ĝastienietsoe?

Heeft u ...?
• У вас есть ...?
oe was jeest ...?

Heeft u voor mij een ...?
• У вас есть для меня ...?
oe was jeest dlja mjənja ...?

Heeft u misschien een gerecht zonder vlees?
• Есть у вас что-нибудь вегетарианское?
jeest oe was sjtonieboet weĝetarie-anskajə?

Ik wil graag ...?
• Мне ... , пожалуйста
mnje ..., pazjalsta

Ik wil graag een kilo appels
• Мне килограмм яблок, пожалуйста
mnje kielaĝram jablak, pazjalsta

Mag ik ...?
• Можно ...?
mozjna ...?

Mag ik dit meenemen?
• Можно это забрать ...?
mozjna eto zabrat?

Mag ik hier roken?
• Здесь можно курить?
zdjees mozjna koeriet?

Mag ik wat vragen?
• Можно вас спросить?
mozjna was sprasiet?

2.3 Hoe geef je antwoord?

Ja, natuurlijk
• Да, конечно
da, kanjesjna

Nee, het spijt me
• Нет, извините
njet, iezwienietjə

Ja, wat kan ik voor u doen?
• Да, что я могу для вас сделать?
da, sjto ja maĝoe dlja was zdjelat?

Een ogenblikje a.u.b.
• Одну минуту, пожалуйста
adnoe mienoetoe, pazjalsta

Nee, ik heb nu geen tijd
• Нет, мне некогда
njet, mnje njekaĝda

Nee, dat is onmogelijk
• Нет, это невозможно
njet, eto njewazmozjna

Ik geloof het wel
• Я думаю да
ja doemajoe da

– denk het ook
• Я тоже так думаю
ja tozjə tak doemajoe

– hoop het ook
• Я тоже надеюсь
ja tozjə nadjeejoes

Nee, helemaal niet
• Нет, совсем нет
njet, safs-jem njet

Nee, niemand
• Нет, никто
njet, niekto

Nee, niets
• Нет, ничего
njet, nietsjəwo

Dat klopt (niet)
• Это правильно (неправильно)
eto prawielna (njeprawielna)

Dat ben ik (niet) met u eens
• Я с вами (не) согласен
ja s wamie (nje) saĝlasən

Dat is goed
• Хорошо
charasjo

Akkoord
• Ладно
ladna

Misschien
• Может быть
mozjət byt

Ik weet het niet
• Не знаю
nje znajoe

2.4 Dank u wel

Bedankt/dank u wel
• Спасибо
spasieba

Geen dank/graag gedaan
• Не за что
njezasjto

Heel hartelijk dank
• Огромное спасибо
aĝromnajə spasieba

Erg vriendelijk van u
• Очень мило с вашей стороны
otsjən miela s wasjəj starany

't Was me een waar genoegen
• Это доставило мне огромное удовольствие
eto dastawielo mnje aĝromnajə oedawolstwiejə

Ik dank u voor de moeite
• Благодарю за беспокойство
blaĝadarjoe za bjespakojstwa

Dat had u niet moeten doen
• Не нужно было этого делать
nje noezjna bylo etawa djelat

Dat zit wel goed hoor
• Все в порядке
fs-jo w parjatkjə

2.5 Pardon

Pardon
• Пардон
pardon

Sorry!
• Извините!
iezwienietjə!

Sorry, ik wist niet dat ...	• Извините, я не знал (знала), что ... *iezwienietjə, ja nje znal (znala), sjto ...*
Neemt u me niet kwalijk	• Простите меня *prastietjə mjənja*
Het spijt me	• Извините *iezwienietjə*
Ik deed het niet expres, het ging per ongeluk	• Я ненарочно это произошло случайно *ja njenarosjna, eto pra-iezasjlo sloetsjajna*
Dat geeft niet hoor	• Ничего страшного *nietsjəwo strasjnawa*
Laat maar zitten	• Оставте *astaftjə*
Dat kan iedereen overkomen	• Со всяким может случиться *sa fs-jakiem mozjət sloetsjietsə*

2.6 Wat vindt u ervan?

Wat heeft u liever?	• Что вы предпочитаете? *sjto wy prətpatsjietajətjə?*
Wat vind je ervan?	• Что ты об этом думаешь? *sjto ty ap etam doemajəsj?*
Houd je niet van dansen?	• Ты не любишь танцевать? *ty nje loebiesj tantsəwat?*
Het maakt mij niets uit	• Мне все равно *mnje fs-jo rawno*
Goed zo!	• Хорошо! *charasjo!*
Niet slecht!	• Неплохо! *njeplocha!*
Uit de kunst	• Великолепно! *wjeliekaljepna!*
Heerlijk!	• Прекрасно! *prəkrasna!*
Wat is het hier gezellig!	• Как здесь уютно! *kak zdjees oejoetna!*
Wat leuk/mooi!	• Как здорово/красиво! *kak zdorawa/krasiewa!*
Wat fijn voor u!	• Как здорово для вас! *kak zdorawa dlja was!*
Ik ben (niet) erg tevreden over ...	• Я (не) очень доволен (довольна) по поводу ... *ja (nje) otsjən dawoljən (dawolna) pa powadoe ...*

Ik ben blij dat ...	• Я рад (рада), что *ja rat (rada), sjto ...*
Ik amuseer me prima	• Я прекрасно провожу время *ja prəkrasna prawazjoe wreemjə*
Ik verheug me erop	• Я заранее рад (рада) *ja zaranjəjə rat (rada)*
Ik hoop dat het lukt	• Надеюсь, что это удастся *nadjeejoes, sjto eto oedastsə*
Wat waardeloos!	• Какая чушь! *kakaja tsjoesj!*
– afschuwelijk!	• Как ужасно! *kak oezjasna!*
– jammer!	• Как жаль! *kak zjal!*
– vies!	• Как противно! *kak pratiewna!*
Wat een onzin/flauwekul!	• Какая ерунда! *kakaja jəroenda!*
Ik houd niet van ...	• Я не люблю ... *ja nje loebljoe ...*
Ik verveel me kapot	• Я ужасно скучаю *ja oezjasna skoetsjajoe*
Ik heb er genoeg van	• Мне надоело *mnje nadajelo*
Dat kan zo niet	• Так нельзя *tak njelz-ja*
Ik had iets heel anders verwacht	• Я ожидал (ожидала) совсем другого *ja azjydal (azjydala) safs-jem droeĝowa*

3 Een gesprek

Wat zegt u?

Ik spreek geen/een beetje …	• Я не говорю по .../Я немного говорю по ... *ja nje ĝawarjoe pa …/ja njəmnoĝa ĝawarjoe pa …*
Ik ben Nederlander/ Nederlandse	• Я голландец/голландка *ja ĝalandjəts/ĝalantka*
– Belg/Belgische	• Я бельгиец/бельгийка *ja bjəlĝie-əts/bjəlĝiejka*
– Vlaming/Vlaamse	• Я фламандец/фламандка *ja flamandjəts/flamantka*
Spreekt u Engels/Frans/ Duits?	• Вы говорите по-английски/по-французски/по-немецки? *wy ĝawarietjə pa anĝlieskie/frantsoeskie/ njəmjetskie?*
Is er iemand die … spreekt?	• Кто-нибудь говорит по ...? *ktonieboet ĝawariet pa …?*
Wat zegt u?	• Что вы сказали? *sjto wy skazalie?*
Ik begrijp het (niet)	• Я (не) понимаю *ja (nje) paniemajoe*
Begrijpt u mij?	• Вы меня понимаете? *wy mjənja paniemajətjə?*
Wilt u dat a.u.b. her-halen?	• Повторите, пожалуйста? *paftarietjə, pazjalsta?*
Kunt u wat langzamer praten?	• Говорите медленнее, пожалуйста *ĝawarietjə meedljənjejə, pazjalsta*
Wat betekent dat/dat woord?	• Что это значит?/Что это слово означает? *sjto eto znatsjiet?/sjto eto slowo aznatsjajət?*
Is dat (ongeveer) het-zelfde als … ?	• Это (примерно) то же самое, как ... ? *eto (priemjerna) to zjə samajə, kak … ?*
Kunt u dat voor me opschrijven?	• Напишите это для меня, пожалуйста *napiesjytjə eto dlja mjənja, pazjalsta*
Kunt u dat voor me spellen?	• Скажите по буквам, пожалуйста *skazjytjə pa boekwam, pazjalsta*

(zie 1.8 voor het telefoonalfabet)

Kunt u dat in deze taalgids aanwijzen?	• Покажите в этой книжке, пожалуйста *pakazjytjə w etəj kniesjkjə, pazjalsta*
Een ogenblik, ik moet het even opzoeken	• Минуточку мне нужно поискать *mienoetatsjkoe, mnje noezjna pa-ieskat*
Ik kan het woord/de zin niet vinden	• Я не могу найти это слово/предложение *ja nje maĝoe najtie eto slowo/prədlazjeeniejə*
Hoe zeg je dat in het ...?	• Как это сказать по ...? *kak eto skazat pa ...?*
Hoe spreek je dat uit?	• Как это произносится? *kak eto pra-ieznosietsə?*

3.1 Zich voorstellen

Mag ik me even voorstellen?	• Разрешите представиться? *razrəsjytjə prətstawietsə?*
Ik heet ...	• Меня зовут ... *mjənju zawoet ...*
Ik ben ...	• Я ... *ja ...*
Hoe heet u?	• Как вас зовут? *kak was zawoet?*
Mag ik u even voorstellen?	• Можно вам представить? *mozjna wam prətstawiet?*
Dit is mijn vrouw/dochter/moeder/vriendin	• Это моя жена/дочь/мать/подруга *eto maja zjəna/dotsj/matj/padroeĝa*
– man/zoon/vader/vriend	• Это мой муж/сын/отец/друг *eto moj moesj/syn/atjets/droek*
Hallo leuk u te ontmoeten	• Здравствуйте, рад (рада) вас видеть *zdrastwoejtjə, rat (rada) was wiedjət*
Aangenaam (kennis te maken)	• Очень приятно (познакомиться) *otsjən priejatna (paznakomietsə)*
Waar komt u vandaan?	• Откуда вы? *atkoeda wy?*
Ik kom uit Nederland/België/Vlaanderen	• Я из Голландии/Бельгии/Фландрии *ja ies ĝalandie-ie/bjeelgie-ie/flandrie-ie*
In welke stad woont u?	• В каком городе вы живёте *w kakom ĝoradjə wy zjywjotjə?*
In ... Dat is dicht bij ...	• В ... Зто недалеко от ... *w ... eto njedaljəko at ...*
Bent u hier al lang?	• Вы уже давно здесь? *wy oezje dawno zdjees?*

Een paar dagen
• Несколько дней
njeskolka dneej

Hoelang blijft u hier?
• Сколько вы здесь пробудете?
skolka wy zdjees praboedjətjə?

We vertrekken (waarschijnlijk) morgen/over twee weken
• Мы уезжаем (скорее всего) завтра/через две недели
my oejezjajəm (skareejə fsəwo) zaftra tsjeerəs dwe njədjeelie

Waar logeert u?
• Где вы остановились?
ĝdje wy astanawielies?

In een hotel/appartement
• В гостинице/квартире
w ĝastienietsə/ kwartierjə

Op een camping
• В кемпинге
w kempienĝjə

In huis bij vrienden/familie
• У друзей/родственников дома
oe droezeej/rotstwənieƙaf doma

Bent u hier allen/met uw gezin?
• Вы здесь один (одна) с семьёй?
wy zdjees adien (adna)/s səmjoj?

Ik ben alleen
• Я один (одна)
ja adien (adna)

– met mijn partner/vrouw/man
• Я с партнёром/женой/мужем
ja s partnjoram/zjənoj/moezjəm

– met mijn gezin
• Я с семьёй
ja s səmjoj

– met familie
• Я с родственниками
ja s rotstwəniekamie

– met een vriend/een vriendin/vrienden
• Я с другом/подругой/друзьями
ja s droeĝam/padroeĝəj/droez-jamie

Bent u getrouwd?
• Вы женаты (замужем)?
wy zjənaty (zamoezjəm)?

Heb je een vaste vriend(in)
• У тебя есть постоянный друг? (У тебя есть постоянная подруга?)
oe tjəbja jeest pastajany droek? (oe tjəbja jeest pastajanaja padroeĝa?)

Dat gaat u niets aan
• Это вас не касается
eto was nje kasajətsə

Ik ben getrouwd
• Я женат (замужем)
ja zjənat (zamoezjəm)

– vrijgezel
• Я холостяк
ja chalastjak

– gescheiden (van tafel en bed)	• Я живу отдельно *ja zjywoe adjeelna*
– gescheiden (officieel)	• Я разведён (разведена) *ja razwədjon (razwədjəna)*
– weduwe/weduwnaar	• Я вдова/вдовец *ja wdawa/wdawjets*
Ik woon alleen/samen	• Я живу один (одна)/Я живу совместно *ja zjywoe adien (adna)/ja zjywoe sawmjestna*
Heeft u kinderen/kleinkinderen?	• У вас есть дети/внуки? *oe was jeest djeetie/wnoekie?*
Hoe oud bent u?	• Сколько вам лет? *skolka wam ljet?*
– is zij/hij	• Сколько ей/ему лет? *skolka jej/jəmoe ljet?*
Ik ben ... jaar oud	• Мне ... лет *mnje ... ljet*
Zij/hij is ... jaar oud	• Ей/ему ... лет *jej/jəmoe ... ljet*
Wat voor werk doet u?	• Кем вы работаете? *kjem wy rabotajətjə?*
Ik werk op een kantoor	• Я работаю в учреждении *ja rabotajoe w oetsjrəzjdjeenie-ie*
Ik studeer/zit op school	• Я учусь/Я учусь в школе *ja oetsjoes/ja oetsjoes w sjkoljə*
Ik ben werkloos	• Я безработный *ja bjezrabotny*
– gepensioneerd	• Я на пенсии *ja na peensie-ie*
– afgekeurd, ik zit in de WAO	• Я признан неспособным к работе *ja prieznan njespasobnym k rabotjə*
– huisvrouw	• Я домохозайка *ja damachazajka*
Vindt u uw werk leuk?	• Вам нравится ваша работа? *wam nrawietsə wasja rabota?*
Soms wel, soms niet	• Иногда да, иногда нет *ienaĝda da, ienaĝda njet*
Meestal wel, maar vakantie is leuker	• В основном да, но отпуск мне нравится больше *w asnawnom da, no otpoesk mnje nrawietsa bolsjə*

3.2 Iemand aanspreken

Mag ik u wat vragen?
• Можно вас спросить?
mozjna was sprasiet?

Neemt u me niet kwalijk
• Извините/Простите
iezwienietjə/prastietjə

Pardon, kunt u me helpen?
• Извините, вы не могли бы помочь?
iezwienietjə, wy nje moĝlie by pamotsj?

Ja, wat is er aan de hand?
• Да, что случилось?
da, sjto sloetsjielas?

Wat kan ik voor u doen?
• Что я могу для вас сделать?
sjto ja maĝoe dlja was zdjelat?

Sorry, ik heb nu geen tijd
• Простите, мне некогда
prastietjə, mnje njeekaĝda

Heeft u een vuurtje?
• Прикурить не найдётся?
priekoeriet nje najdjotsə?

Mag ik bij u komen zitten?
• Можно сесть рядом с вами?
mozjna seest rjadam s wamie?

Wilt u een foto van mij/ons maken? Dit knopje indrukken.
• Вы не могли бы меня/нас сфотографировать? Нажмите эту кнопку
wy nje maĝlie by mjənja/nas sfotoĝrafierawat? nazjmietjə etoe knopky

Laat me met rust
• Оставь меня в покое
astaf mjənja w pakojə

Hoepel op
• Убирайся
oebierajsə

Als u niet weg gaat, ga ik gillen
• Если вы не отойдёте, я закричу
jeeslie wy nje atajdjotje, ja zakrietsjoe

3.3 Feliciteren en condoleren

Gefeliciteerd met uw verjaardag/naamdag
• Поздравляю с днём рождения/Поздравляю с именинами
pazdrawljajoe s dnjom razjdjeenieja/pazdrawljajoe s ymjənienamie

Gecondoleerd
• Мои соболезнования
ma-ie sabaljeznawanieja

Ik vind het heel erg voor u
• Я вам очень сочувствую
ja wam otsjən satsjoestwoejoe

3.4 Een praatje over het weer

Zie ook 1.5 *Het weer.*

Wat is het warm/koud vandaag!	• Как сегодня тепло/холодно! *kak səwodnjə tjəplo/choladna!*
Lekker weer, hè?	• Хорошая погода, не правда ли? *charosjaja paĝoda, nje prawda lie?*
Wat een wind/storm!	• Какой ветер!/Какая буря! *kakoj weetjər! kakaja boerja!*
– regen/sneeuw!	• Какой дождь/снег! *kakoj dosjt/snjek!*
– mist!	• Какой туман! *kakoj toeman!*
Is het hier al lang zulk weer?	• Здесь уже давно такая погода? *zdjees oezje dawno takaja paĝoda?*
Is het hier altijd zo warm/koud?	• Здесь всегда так тепло/холодно? *zdjees fsəĝda tak tjəplo/choladna?*
– droog/nat?	• Здесь всегда так сухо/сыро? *zdjees fsəĝda tak soecha/syra?*

3.5 Hobby's

Heeft u hobby's?	• У вас есть хобби? *oe was jeest chobie?*
Ik houd van breien/lezen/fotograferen/knutselen	• Я люблю вязать/читать/фотографировать/мастерить *ja loebljoe wjəzat/tsjietat/fotoĝrafierawat/mastjəriet*
Ik houd van muziek	• Я люблю музыку *ja loebljoe moezykoe*
– gitaar/piano spelen	• Я люблю играть на гитаре/пианино *ja loebljoe ieĝrat na ĝietarjə/pie-aniena*
Ik ga graag naar de film	• Я люблю ходить в кино *ja loebljoe chadiet w kieno*
Ik reis/sport/vis/wandel graag	• Я люблю путешествовать/заниматься спортом/ловить рыбу/гулять *ja loebljoe poetjəsjestwawat/zaniematsə sportam/lawiet ryboe/ĝoeljat*

3.6 Iets aanbieden

Zie ook 4 *Uit eten.*

Mag ik u iets te drinken aanbieden?	• Разрешите предложить вам чего-нибудь выпить? *razrəsjytjə prədlazjyt wam tsjəwonieboet wypiet?*
Wat wil je drinken?	• Что ты будешь пить? *sjto ty boedjəsj piet?*
Wilt u een sigaret/sigaar/ shagje draaien?	• Вы хотите сигарету/сигару/свернуть папиросу? *wy chatietjə sieĝarjetoe/sieĝaroe/ swərnoet papierosoe?*
Graag iets zonder alcohol	• Что-нибудь без алкоголя, пожалуйста *sjtonieboet bjes alkaĝolja, pazjalsta*
Ik rook niet	• Я не курю *ja nje koerjoe*

3.7 Uitnodigen

Heb je vanavond iets te doen?	• Ты сегодня занят (занята)? *ty səwodnjə zanjət (zanjəta)?*
Heeft u al plannen voor vandaag/vanmiddag/ vanavond?	• У вас есть планы на сегодня/сегодня днём/сегодня вечером? *oe was jeest plany na səwodnjə/səwodnjə dnjom/səwodnjə weetsjəram?*
Heeft u zin om met mij uit te gaan?	• Хотите провести время со мной? *chatietjə prawjəstie wreemja samnoj?*
– mij te gaan dansen?	• Хотите со мной потанцевать? *chatietjə samnoj patantsəwat?*
– mij te eten?	• Хотите вмеесте поужинаем? *chatietjə wmeestjə pa-oezjynajəm?*
– mij naar het strand te gaan?	• Хотите пойти со мной на пляж? *chatietjə pajtie samnoj na pljasj?*
– ons naar de stad te gaan?	• Хотите пойти с нами в город? *chatietjə pajtie s namie w ĝorat?*
– ons naar vrienden te gaan?	• Хотите пойти с нами к друзьям? *chatietjə pajtie s namie k droez-jam?*
Zullen we dansen?	• Потанцуем? *patantsoejəm?*

Ga je mee aan de bar zitten?	• Пойдём к бару? *pajdjom k baroe?*
Zullen we iets gaan drinken?	• Выпьем что-нибудь? *wypjəm sjtonieboet?*
Zullen we een eindje gaan lopen/rijden?	• Пойдём прогуляемся/покатаемся? *pajdjom praĝoeljajəmsə/pakatajəmsə?*
Ja, dat is goed	• Да, хорошо *da, charasjo*
Goed idee	• Неплохая идея *njeplachaja iedjeeja*
Nee (bedankt)	• Нет (спасибо) *njet (spasieba)*
Straks misschien	• Может быть попозже *mozjət byt papozjə*
Daar heb ik geen zin in	• У меня нет настроения *oe mjənja njet nastrajeenieja*
Ik heb geen tijd	• У меня нет времени *oe mjənja njet wreemjənie*
Ik heb al een andere afspraak	• Я уже договорился (договорилась) с другим *ja oezje dağawarielsə (duĝuwarielas) s droeĝiem*
Ik kan niet dansen/volleyballen/zwemmen	• Я не умею танцевать/играть в волейбол/плавать *ja nje oemjeejoe tantsəwat/ieĝrat w walejbol/plawat*

3.8 Een compliment maken

Wat ziet u er goed uit!	• Как вы хорошо выглядите! *kak wy charasjo wyĝladietjə!*
Mooie auto!	• Красивая машина! *krasiewaja masjyna!*
Leuk skipak!	• Замечательный лыжный костюм! *zamjətsjatjəlny lyzjny kastjoem!*
Je bent een lieve jongen/meid	• Ты милый мальчик/Ты милая девочка *ty miely maltsjiek/ty mielaja djewatsjka*
Wat een lief kindje!	• Какой милый ребёнок! *kakoj miely rəbjonak!*
U danst heel goed	• Вы очень хорошо танцуете *wy otsjən charasjo tantsoejətjə*
– kookt	• Вы очень хорошо готовите *wy otsjən charasjo ĝatowietjə*

– voetbalt	• Вы очень хорошо играете в футбол *wy otsjən charasjo ieĝrajətjə w foetbol*

3.9 Iemand versieren

Ik vind het fijn om bij je te zijn	• Мне с тобой очень приятно *mnje s taboj otsjən priejatna*
Ik heb je zo gemist	• Я так по тебе скучал (скучала) *ja tak pa tjəbje skoetsjal (skoetsjala)*
Ik heb van je gedroomd	• Ты мне снился (снилась) *ty mnje snielsə (snielas)*
Ik moet de hele dag aan je denken	• Я целый день о тебе думаю *ja tsely djeen a tjəbje doemajoe*
Je lacht zo lief	• Ты так мило смеёшься *ty tak miela smeejosjsə*
Je hebt zulke mooie ogen	• У тебя такие красивые глаза *oe tjəbja takiejə krasiewyjə ĝlaza*
Ik ben verliefd op je	• Я в тебя влюблён (влюблена) *ja w tjəbja wloebljon (wloebljəna)*
Ik ook op jou	• Я в тебя тоже *ja w tjəbja tozjə*
Ik hou van jou	• Я тебя люблю *ja tjəbja loebljoe*
Ik ook van jou	• Я тебя тоже *ja tjəbja tozjə*
Ik heb niet zulke sterke gevoelens voor jou	• У меня не такие сильные чувства к тебе *oe mjənja nje takiejə sielnyjə tsjoestwa k tjəbje*
Ik heb al een vriend/ vriendin	• У меня уже есть друг/подруга *oe mjənja oezje jeest droek/padroeĝa*
Ik ben nog niet zo ver	• Я ещё к этому не готов (готова) *ja jəssjo k etamoe nje ĝatof (ĝatowa)*
Het gaat me veel te snel	• Всё происходит слишком быстро *fs-jo pra-ieschodiet sliesjkam bystra*
Blijf van me af	• Отстань *atstan*
Okee, geen probleem	• Ладно, ничего *ladna, nietsjəwo*
Blijf je vannacht bij me?	• Ты останешься у меня сегодня на ночь? *ty astanjəsjsə oe mjənja səwodnjə nanotsj?*

Ik wil graag met je naar bed	• Я хочу с тобой спать *ja chatsjoe s taboj spat*
Alleen met een condoom	• Только с презервативом *tolka s prezərwatiewam*
We moeten voorzichtig zijn vanwege aids	• Мы должны быть осторожны из-за СПИДА *my dalzjny byt astarozjny iezaspieda*
Dat zeggen ze allemaal	• Все так говорят *fs-je tak ĝawarjat*
Laten we geen risico nemen	• Не будем рисковать *nje boedjəm rieskawat*
Heb je een condoom?	• У тебя есть презерватив? *oe tjəbja jeest prezərwatief?*
Nee? Dan doen we het niet	• Нет? Тогда не будем *njet? taĝda nje boedjəm*

3.10 Iets afspreken

Wanneer zie ik je weer?	• Когда я тебя снова увижу? *kaĝda ja tjəbja snowa oewiezjoe?*
Heeft u in het weekend tijd?	• У вас есть время в выходные? *oe was jeest wreemja w wychadnyjə?*
Wat zullen we afspreken?	• Как мы договоримся? *kak my daĝawariemsə?*
Waar zullen we elkaar treffen?	• Где мы встретимся? *ĝdje my fstreetiemsə?*
Komt u mij/ons halen?	• Вы за мной/нами заедете? *wy za mnoj/namie zajeedjətjə?*
Zal ik u ophalen?	• Давайте я за вами заеду *dawajtjə ja za wamie zajedoe*
Ik moet om ... uur thuis zijn	• Я должен (должна) быть дома в ...часов *ja dolzjən (dalzjna) byt doma w … tsjəsof*
Ik wil u niet meer zien	• Я вас больше не хочу видеть *ja was bolsjə nje chatsjoe wiedjət*

3.11 Uitgebreid afscheid nemen

Mag ik u naar huis brengen?	• Могу ли я отвезти вас домой? *maĝoe lie ja atwəstie was damoj?*
Mag ik u schrijven/opbellen?	• Я вам могу написать/позвонить? *ja wam maĝoe napiesat/pazwaniet?*
Schrijft/belt u mij?	• Вы мне напишете/позвоните? *wy mnje napiesjətjə/pazwanietjə?*

Mag ik uw adres/telefoonnummer?	• Можно ваш адрес/телефон? *mozjna wasj adrəs/tjeləfon?*
Bedankt voor alles	• Спасибо за всё *spasieba za fs-jo*
Het was erg leuk	• Было замечательно *bylo zamjətsjatjəlno*
Doe de groeten aan ...	• Передай привет ... *pjerədaj priewjet ...*
Ik wens je het allerbeste	• Всего самого лучшего *fsəwo samawa loetsjəwa*
Veel succes verder	• Дальнейших успехов *dalneejsjych oespjechaf*
Wanneer kom je weer?	• Когда ты снова придёшь? *kaĝda ty snowa priedjosj?*
Ik wacht op je	• Я буду тебя ждать *ja boedoe tjəbja zjdat*
Ik zou je graag nog eens terug zien	• Я бы хотел(а) увидеть тебя ещё раз *ja by chatjel (chatjela) oewiedjət tjəbja jəssjo ras*
Ik hoop dat we elkaar gauw weerzien	• Надеюсь, что мы скоро друг друга снова увидим *nadjeejoes, sjto my skora droek droeĝa snowa oewiediem*
Dit is ons adres. Als u ooit in Nederland/België bent ...	• Вот наш адрес. Если вы когда-нибудь будете в Голландии/Бельгии ... *wot nasj adrəs. jeeslie wy kaĝdanieboet boedjətjə w ĝalandie-ie/bjeelĝie-ie*
U bent van harte welkom	• Будем рады вас видеть *boedjəm rady was wiedjət*

4 Uit eten

In Rusland houdt men in restaurants gewoonlijk drie maaltijden aan.
завтрак (zaftrak = ontbijt). Tussen ca. 8.00 en 10.00. Thee, koffie, pap, yoghurt, omelet, brood, boter, jam, kaas, worst of andere vleeswaren.
обед (abjet = lunch). Dit is de hoofdmaaltijd die tussen ca. 12.00 en 15.30 wordt geserveerd. Deze maaltijd bestaat uit drie of meer gangen. Als voorgerecht worden eiergerechten, gesneden vlees of worst, paddestoelen, vis, salades, zult en kaviaar opgediend. Deze zogenaamde 'zakoeskie' zijn dikwijls zeer uitgebreid, dus denkt u er wel aan nog een plaatsje over te houden voor de overige gangen, zoals bijvoorbeeld de verschillende soepen. Als hoofdgerecht serveert men vis- en vleesgerechten, gevogelte of wild, aardappelen en groente (al neemt dit laatste niet zo'n belangrijke plaats in als in de Nederlandse keuken). Nagerechten kunnen zijn taart, ijs, fruit, flensjes of vruchtengelei.
ужин (oezjyn = avondeten). Van 19.00 tot 22.00 uur. Dit is in het algemeen een lichtere versie van het middageten. Soms volstaat men met brood en verschillende soorten beleg, thee en koffie.

4.1 Bij binnenkomst

Kan ik een tafel voor 7 uur reserveren?	• Можно заказать стол на семь часов? *mozjna zakazat stol na seem tsjəsof?*
Graag een tafel voor 2 personen	• Пожалуйста столик на двоих *pazjalsta stoliek na dwa-iech*
Wij hebben (niet) gereserveerd	• Мы (не) заказывали *my (nje) zakazywalie*
Is de keuken al open?	• Кухня уже открыта? *koechnja oezje atkryta?*
Hoe laat gaat de keuken open/dicht?	• Когда кухня открывается/закрывается? *kaĝda koechnja atkrywajətsə / zakrywajətsə?*
Kunnen wij op een tafel wachten?	• Мы можем подождать столик? *my mozjəm padazjdat stoliek?*
Moeten wij lang wachten?	• Нам придётся долго ждать? *nam priedjotsə dolĝa zjdat?*

Вы заказывали?	Heeft u gereserveerd?
На какую фамилию?	Onder welke naam?
Сюда, пожалуйста.	Deze kant op alstublieft.
Этот стол заказан	Deze tafel is gereserveerd
Через пятнадцать минут столик освободится.	Over een kwartier hebben we een tafel vrij.
Вы не могли бы подождать у бара?	Wilt u zolang aan de bar wachten?

Is deze plaats vrij?
• Это место свободно?
eto mjesto swabodno?

Mogen wij hier/daar zitten?
• Можно здесь/там сесть?
mozjna zdjees/tam seest?

– bij het raam
• Можно сесть у окна?
mozjna seest oe akna?

Kunnen we buiten ook eten?
• Можно есть на дворе?
mozjna jeest na dware?

Heeft u nog een stoel voor ons?
• Принесите нам ещё один стул, пожалуйста
prienjəsietjə nam jəssjo adien stoel, pazjalsta

– een kinderstoel?
• Принесите нам ещё детский стул, пожалуйста
prienjəsietjə nam jəssjo djetskie stoel, pazjalsta

Is er voor deze flessenwarmer een stopcontact?
• Есть ли для этого нагревателя бутылочки розетка?
jeest lie dlja etawa naĝrəwatjəlja boetylatskie razetka?

Kunt u dit flesje/potje voor mij opwarmen?
• Вы можете разогреть для меня эту бутылочку/баночку?
wy mozjətjə razaĝreet dlja mjənja etoe boetylatskoe/banatsjkoe?

Niet te warm a.u.b.
• Не очень горячо, пожалуйста
njə otsjən ĝarjətsjo, pazjalsta

Is hier een ruimte waar ik de baby een schone luier kan geven?
• У вас есть помещение, где я могу переодеть ребенка?
oe was jeest pamjəssjeeniejə, ĝdje ja maĝoe pjerə-adjeet rəbjonka?

Waar is het toilet?
• Где туалет?
ĝdje toe-aljet?

4.2 Bestellen

Ober!
• Официант!
afietsant!

Mevrouw!
• Госпожа!
ĝaspazja!

Meneer!
• Господин!
ĝaspadien!

Wij willen wat eten/drinken
• Мы хотели бы поесть/попить
my chatjeelie by pajeest/papiet

Kan ik snel iets eten?
• Могу я быстро постсь?
maĝoe ja bystra pajeest?

Wij hebben weinig tijd
• У нас мало времени
oe nas mala wreemjənie

Wij willen eerst nog wat drinken
• Мы сначала хотели бы чего-нибудь попить
my snatsjala chatjeelie by tsjəwonieboet papiet

Mogen wij de menukaart/wijnkaart?
• Принесите нам меню/меню спиртных напитков, пожалуйста
prienjəsietjə nam mjənjoe/mjənjoe spiertnych napietkaf, pazjalsta

Heeft u een menu in het Engels?
• У вас есть меню на английском?
oe was jeest mjənjoe na anĝlieskam?

Heeft u een dagmenu/toeristenmenu?
• У вас есть суточное меню?/У вас есть туристское меню?
oe was jeest soetatsjnajə mjənjoe?/oe was jeest toeriestskajə mjənjoe?

Wij hebben nog niet gekozen
• Мы ещё не выбрали
my jəssjo nje wybralie

Wat kunt u ons aanbevelen?
• Что бы вы порекомендовали?
sjto by wy parəkamjəndawalie?

Wat zijn de specialiteiten van deze streek/het huis?
• Какие фирменные блюда этой области/этого ресторана?
kakiejə fiermjənyjə bljoeda etəj oblastie/etawa rəstarana?

Ik houd van aardbeien/olijven
• Я люблю клубники/оливки
ja loebljoe kloebniekie/aliefkie

Ik houd niet van vis/vlees/...
• Я не люблю рыбу/мясо/ ...
ja nje loebljoe ryboe/mjaso/...

Wat is dit?	• Что это? *sjto eto?*
Zitten er … in?	• Сюда входят ...? *soeda fchodjət … ?*
Is dit gerecht warm of koud?	• Это горячее или холодное блюдо? *eto ĝarjatsjəjə ielie chalodnajə bljoedo?*
– zoet?	• Это сладкое блюдо? *eto slatkajə bljoedo?*
– pikant/gekruid?	• Это пикантное/острое блюдо? *eto piekantnajə/ostrajə bljoedo?*
Heeft u misschien iets anders?	• У вас нет ничего другого? *oe was njet nietsjəwo droeĝowa?*
Ik mag geen zout (eten)	• Мне нельзя солёного *mnje njelz-ja saljonawa*
– varkensvlees	• Мне нельзя свинины *mnje njelz-ja swienieny*
– suiker	• Мне нельзя сладкого *mnje njelz-ja slatkawa*
– vet	• Мне нельзя жирного *mnje njelz-ja zjyrnawa*
– (scherpe) kruiden	• Мне нельзя острого *mnje njelz-ja ostrawa*
Ik mag niet drinken	• Мне нельзя пить *mnje njelz-ja piet*

Вы хотите поесть?	Wilt u eten?
Вы выбрали?	Heeft u uw keuze gemaakt?
Что вы хотите пить?	Wat wilt u drinken?
Приятного аппетита.	Eet smakelijk.
Вы хотите десерт/кофе/чай?	Wilt u nog een nagerecht/koffie/thee?

Graag hetzelfde als die mensen	• То же, что и те люди заказали, пожалуйста *to zjə, sjto ie tje ljoedie zakazalie, pazjalsta*
Ik wil graag …	• Я бы хотел(а) ... *ja by chatjel (chatjela) …*
Wij nemen geen voorgerecht	• Закуска нам не нужна *zakoeska nam nje noezjna*

Het kind zal wat van ons menu meeëten
• Ребёнок поест что-нибудь из наших тарелок
rəbjonak pajest sjtonieboet ies nasjych tarjelak

Nog wat brood a.u.b.
• Ещё хлеба, пожалуйста
jəssjo chljeba, pazjalsta

– een fles water/wijn/wodka
• Ещё бутылку воды/вина/водки, пожалуйста
jəssjo boetylkoe wady/wiena/wodkie, pazjalsta

– een portie ...
• Ещё порцию ...
jəssjo portsiejoe ...

Kunt u zout en peper brengen a.u.b.?
• Принесите, пожалуйста, соль и перец
prienjəsietjə, pazjalsta, sol ie pjeerəts

– een servet
• Принесите, пожалуйста, салфетку
prienjəsietjə, pazjalsta, salfjetkoe

– een lepeltje
• Принесите, пожалуйста, ложечку
prienjəsietjə, pazjalsta, lozjətsjkoe

– een asbak
• Принесите, пожалуйста, пепельницу
prienjəsietjə, pazjalsta, pjeepjəlnietsoe

– lucifers
• Принесите, пожалуйста, спички
prienjəsietjə, pazjalsta, spietsjkie

– tandenstokers
• Принесите, пожалуйста, зубочистки
prienjəsietjə, pazjalsta, zoebatsjiestkie

– een glas water
• Принесите, пожалуйста, стакан воды
prienjəsietjə, pazjalsta, stakan wady

– een rietje (voor het kind)
• Принесите, пожалуйста, соломинку (для ребёнка)
prienjəsietjə, pazjalsta, salomienkoe (dlja rəbjonka)

Eet smakelijk!
• Приятного аппетита!
priejatnawa apjətieta!

Van hetzelfde
• Того же
tawozjə

Proost!
• (За) ваше здорове!
(za) wasjə zdarowjə!

Het volgende rondje is voor mij
• В следуюший раз я плачу
w sledoejoessjie ras ja platsjoe

Mogen wij de resten meenemen voor onze hond?
• Можно взять остатки для собаки?
mozjna wzjat astatkie dlja sabakie?

4.3 Afrekenen

Zie ook 8.2 *Afrekenen.*

Wat is de prijs van dit gerecht?	• Сколько стоит это блюдо? *skolka sto-iet eto bljoedo?*
De rekening a.u.b.	• Счёт, пожалуйста *ssjot, pazjalsta*
Alles bij elkaar	• Всё вместе *fs-jo wmeestjə*
Ieder betaalt voor zich	• Каждый платит за себя *kazjdy platiet za səbja*
Mogen wij de kaart nog even zien?	• Можно ёще раз посмотреть меню? *mozjna jəssjo ras pasmatreet mjənjoe?*
De ... staat niet op de rekening	• ... не занесено в счёт *... nje zanjesəno w ssjot*

4.4 Klagen

Het duurt wel erg lang	• Это очень долго длится *eto otsjən dolĝa dlietsə*
Wij zitten hier al een uur	• Мы сидим здесь уже час *my siediem zdjees oezje tsjas*
Dit moet een vergissing zijn	• Это должно быть ошибка *eto dalzjno byt asjypka*
Dit is niet wat ik bestelt heb	• Это не то, что я заказывал (заказывала) *eto nje to, sjto ja zakazywal (zakazywala)*
Ik heb om ... gevraagd	• Я попросил (попросила) *ja paprasiel (paprasiela) ...*
Er ontbreekt een gerecht	• Одного блюда не хватает *adnawo bljoeda nje chwatajət*
Dit is kapot/niet schoon	• Это сломано/грязно *eto slomano/ĝrjazno*
Het eten is koud	• Еда холодная *jəda chalodnaja*
– niet vers	• Еда не свежая *jəda nje swezjaja*
– te zout/zoet/gekruid	• Еда слишком солёная/сладкая/острая *jəda sliesjkam saljonaja/slatkaja/ostraja*
Het vlees is niet gaar	• Мясо не прожарилось *mjaso nje prazjarielos*

– te gaar	• Мясо пережарено *mjaso pjerəzjarəno*
– taai	• Мясо жёсткое *mjaso zjostkajə*
– bedorven	• Мясо испорчено *mjaso iesportsjəno*
Kunt u mij hier iets anders voor geven?	• Дайте мне вместо этого что-нибудь другое, пожалуйста *dajtjə mnje wmjesta etawa sjtonieboet droeĝojə, pazjalsta*
De rekening/dit bedrag klopt niet	• Счёт/сумма не совпадает *ssjot/soema nje safpadajət*
Dit hebben wij niet gehad	• У нас этого не было *oe nas etawa njebyla*
Er is geen toiletpapier op het toilet	• В туалете нет бумаги *w toe-aljeetjə njet boemaĝie*
Heeft u een klachtenboek?	• У вас есть книга жалоб? *oe was jeest knieĝa zjalap?*
Wilt u a.u.b. uw chef roepen?	• Позовите, пожалуйста, начальника *pazawietjə, pazjalsta, natsjalnieka*

4.5 Een compliment geven

Wij hebben heerlijk gegeten	• Мы прекрасно поели *my prəkrasna pajeelie*
Het heeft ons voortreffelijk gesmaakt	• Всё было очень вкусно *fs-jo byla otsjən fkoesno*
Vooral de ... was heel bijzonder	• Особенно ... был исключительным *asobjəna ... byl ieskloetsjietjəlnym*

4.6 Menukaart

Het aanbod varieert per regio en per restaurant

безалькогольные напитки niet- alcoholische dranken	**горячие супы** warme soep
вина wijn	**десерт** nagerecht
вторые блюда tweede gang/hoofdgerecht	**дичь** wild

закуски voorgerechten	**салаты** salade
завтрак ontbijt	**соки** sappen
кофе koffie	**спиртные/алькогольные напитки** alcoholische dranken
мясо vlees	**супы** soep
национальные блюда nationale gerechten	**ужин** avondeten
обед middageten	**фирменные блюда** specialiteiten van het huis
овощи groente	**фрукты** fruit
первые блюда eerste gang	**холодные супы** koude soep
птица gevogelte	**чай** thee
рыба vis	

4.7 Alfabetische dranken- en gerechtenlijst

абрикос abrikoos	**бефстроганов** boeuf Stroganof
ананас ananas	**бифштекс** biefstuk
антрекот entrecôte	**блины/блинчики** pannekoekjes
апельсин, апельсиновый sinaasappel, sinaasappel-	**бобы** tuinbonen
арбуз watermeloen	**борщ** borsjtsj
ассорти мясное/рыбное gemengde vlees-/visschotel	**бренди** brandy
баклажаны, из баклажанов aubergines, aubergine-	**брынза** schapekaas
банан banaan	**буженица** koud varkensvlees
баранина, из баранины schapevlees, schape-	**булочка** broodje

бульон (сфрикадельками)
bouillon (met vleesnoedels)
бутерброд
sandwich
вальдшнеп
houtsnip
вареники
gevulde noedels
варёный (-ая, ое)
gekookt
варенье, с вареньем
jam, met jam
ватрушка
kwarkbroodjc
вермишель
vermicelli
вермут
vermouth
ветчина, с ветчиной
ham, met ham
вино (бслое, красное, сухое, сладкое)
wijn (wit, rood, droog, zoet)
виноград
druiven
виски (со льдом)
whisky (met ijs)
вишни, вишнёвый
kersen, kersen-
вырезка
lendestuk
гарнир, с гарниром
groenten/garnering, met groenten/garnering
говядина
rundvlees
горох, гороховый
erwten, crwten-
горчица
mosterd
гранат, гранатовый
granaatappel, granaatappel-
грейпфрут, грейпфрутовый
grapefruit, grapefruit-
грибной (-ая, -ое)/из грибов
paddestoelen-
грибы, с грибами
paddestoelen, met paddestoelen
груша
peer
гулаш
goulash
гусь
gans
джем
jam
джин (с тоником)
gin (-tonic)
дыня
suikermeloen
ёрш
1. kleine baars 2. mengsel van wodka en bier (of wijn)
жареный (-ая, -ое)
gebraden, gebakken
желе
gelei
жюльен
ragôut
заливной (-ая, -ое)
in gelei
заяц
haas
изюм
rozijnen
икра (красная, чёрная)
kaviaar (rood, zwart)
индейка/индюк
kalkoen
кабачки
courgettes
камбала
bot
капуста, с капустой
kool, met kool
капуста (кислая, красная, цветная)
(zuur-, rode-, bloem-) kool

карась, карп
karper
картофель
aardappel
каша
pap
квас
kwas
кефир
karnemelk
кильки
stroomling (sardineachtige vis)
кисель, с киселём
vruchtengelei, met vruchtengelei
клубника
aardbei
клюква, клюквенный
vossebes, vossebessen-
колбаса
worst
компот
compôte
коньяк
cognac
копчёный
gerookt
котлеты
gehaktballen
котлеты по-киевски
gepaneerde kippeborst aan een stokje
кофе (чёрный)
koffie (zwart)
краб, из крабов
krab, krab-
креветки
garnalen
кролик
konijn
кукуруза
maïs
курица, с курицей
kip, met kip
куриный, из кур
kippen-
куропатка
patrijs
лангет
gebraden lendestuk
лапша
noedelsoep
лещ
zeebrasem
ликёр
likeur
лимон, с лимоном
citroen, met citroen
лимонад
limonade
лососина/лосось
zalm
лук, с луком
ui, met ui
майонез, под майонезом
mayonaise, met mayonaise
макароны
macaroni
макрель
makreel
мандарин, мандариновый
mandarijn, mandarijnen-
маринованый (-ая, -ое)
gemarineerd
маслины
olijven
мясо, мясной
vlees, vlees-
начинка, с начинкой
vulling, met vulling
овощи, овощной (-ая, -ое)
groenten, groenten-
огурец, из огурцов
augurk/komkommer, augurk-/komkommer-
окорок
ham
окрошка
koude soep van kwas, groente en vlees

окунь
baars
оладьи
pannekoeken
оливки
olijven
орехи
noten
осётр/осетрина
steur
отбивная котлета
karbonade
отварной (-ая, -ое)
gepocheerd
палтус
heilbot
паровой (-ая, -ое)
gestoomd
паштет
paté
пельмени
gevulde deegkussentjes
перепел
kwartel
петрушка
peterselie
печёнка
lever
печёный (-ая, -ое)
gebakken
печенье
koekjes
пиво
bier
пирог/пирожок
pastei(tje)
пирожное
gebak
пити
soep van schapevlees
плов
rijstgerecht met vlees
поджарка
gebraden vlees
помидоры, из помидоров
tomaten, tomaten-
пончик
oliebol
порей
prei
поросёнок/поросята
speenvarken
портвейн
port
похлёбка
vleessoep met gierst of aard-appelen
почки
niertjes
простокваша
zure melk
пряник
kruidkoek
пудинг
pudding
пунш
punch
пюре
puré
рагу
ragôut
рак
kreeft
рассольник
vleessoep met zoute augurken
расстегай
met vis gevulde pasteitjes
редис(ка), из редиски
radijs, radijs-
репа
raap
рис, рисовый
rijst, rijst-
ром
rum
ростбиф
rosbief

рыбый (-ая, -ое)
vis-
рябчик
hazelhoen
ряженка
gebakken zure melk, koud opgediend
салат
salade
сардины
sardientjes
сахар, без сахара, с сахаром
suiker, zonder suiker, met suiker
свёкла
biet
свекольник
koude bietensap
свинина, из свинины/свининый
varkensvlees, varkens-
селёдка/сельдь
haring
сёмга
zalm
слива, со сливами
pruim, met pruimen
сливовый
pruimen-
сливки (взбитые), со сливками
(slag)room, met room
сметана, со сметаной, в сметане
zure room, met zure room, in zure room
смородина
aalbes
солёный (-ая, -ое)
gezouten
сололина
pekelvlees
соль
zout
солянка
dikke soep
сом
meerval
сосиски/сардельки
worstjes
соус, под белым соусом
saus, in witte saus
спаржа, спаржевый
asperge, asperge-
стерлядь
kleine steur
студень
zult
судак
snoekbaars
суп
soep
сыр
kaas
сырники
kwarkpannekoekjes
сырок
zoete kwark
творог, с творогом
kwark, met kwark
телятина
kalfsvlees
тефтели
vleesballetjes
топлёное молоко
gebakken melk, koud opgediend
торт
taart
треска
kabeljauw
тресковая печень
schelvislever
тунец
tonijn
тушёный (-ая, -ое)
gestoofd
тыква
pompoen
угорь
aal

уксус
azijn
устрицы
oesters
утка
eend
уха
vissoep
фаршированный (-ая, -ое)
gevuld met gehakt, truffels enz.
фасоль
bonen
филе
filé
финики
dadels
форель
forel
фрукты, фруктовый
fruit, vruchten-
харчо
soep van schapevlees met rijst
херес
sherry
хлеб (белый, чёрный)
brood (wit, bruin)
хрен, с хреном
mierikswortel, met mierikswortel
цыплёнок/цыплята
kuiken
цыплёнок табака
kuiken op z'n Georgisch
чай
thee
чахохбили из кур
Kaukasische kip in 't pannetje
чебуреки
met vlees gevulde deeg-
kussentjes
черемша
wilde ui met knoflookachtige
smaak
черешни
kersen
черника
bosbes
чеснок, с чесноком
knoflook
шампанское (сухое, полусладкое, сладкое)
champagne (droog, demi-sec,
zoet)
шашлык
sjasjlik
шницель
schnitzel
шоколад, шоколадный
chocola, chocolade-
шпинат
spinazie
шпроты
sprotjes
щи
koolsoep
щи кислые
zuurkoolsoep
щи зелёные с яйцом
zuringsoep gebonden met
geklopt ei
эскалоп
escalope (kalfsoester)
яблоко, с яблоками
appel, met appels
яблоко в тесте
appelflap
яблочный
appel-
язык
tong
яйцо (всмятку, вкрутую)
ei (zacht, hardgekookt)
яичница
roerei

5 Onderweg

De weg vragen

Pardon, mag ik u iets vragen?	• Извините, можно вас спросить? *iezwienietjə, mozjna was sprasiet?*
Ik ben de weg kwijt	• Я заблудился (заблудилась) *ja zabloedielsə (zabloedielas)*
Weet u een ... in de buurt?	• Вы не знаете здесь поблизости ... ? *wy nje znajətjə zdjees pabliezastie ...?*
Is dit de weg naar ... ?	• Это дорога в ... ? *eto darôga w ... ?*
Kunt u me zeggen hoe ik naar ... moet rijden/ lopen?	• Вы не подскажете как доехать/дойти до ... ? *wy nje patskazjətjə kak dajechat/dajtie da ... ?*
Hoe kom ik het snelst in ... ?	• Как можно быстрее доехать до ... ? *kak mozjna bystreejə dajechat da ... ?*
Hoeveel kilometer is het nog naar ... ?	• Сколько километров до ... ? *skolka kielamjetraf da ... ?*
Kunt u het op de kaart aanwijzen?	• Покажите на карте, пожалуйста *pakazjytjə na kartjə, pazjalsta*

Я не знаю, я не отсюда.	Ik weet het niet, ik ben hier niet bekend.
Вы едете по неправильному направлению.	U zit verkeerd.
Вам нужно вернуться в ...	U moet terug naar ...
Вы увидите, там будет написано.	Daar wijzen de borden u verder.
Там вам придется снова спросить.	Daar moet u het opnieuw vragen.
прямо	rechtdoor
налево	linksaf
направо	rechtsaf
повернуть	afslaan
последовать	volgen
перейти	oversteken
перекрёсток	de kruising
улица	de straat
светофор	het verkeerslicht
туннель	de tunnel

знак "уступите дорогу"	het verkeersbord 'voorrangskruising'
здание	het gebouw
на углу	op de hoek
река	de rivier
виадук	het viaduct
мост	de brug
железнодорожный переезд/ шлагбаумы	de spoorwegovergang/ de spoorbomen
указатель направления ...	het bord richting ...
стрела	de pijl

5.1 Douane

Toeristen die Rusland willen bezoeken moeten in het bezit zijn van een paspoort, waarvan de geldigheidsduur niet beëindigd mag zijn voor de datum van vertrek uit Rusland. Ook dient de toerist in het bezit te zijn van een geldig toeristenvisum. Kinderen die staan bijgeschreven in het paspoort van een van de ouders, worden vermeld in het visum van de betreffende ouder. Aanvragen van een visum (kan niet schriftelijk) bij het Russische consulaat in Den Haag (zie Nuttige adressen). Kosten zijn f 40,–. Eveneens moet u uw verblijf in Rusland reserveren; de bewijzen van die reservering (vouchers) moeten worden overlegd bij de aanvraag van het visum. De ANWB of een reisbureau dat een relatie heeft met het Russische toeristenbureau Intourist, kan voor u boeken. In de regel belasten de reisbureaus zich ook met het aanvragen van visa voor hun cliënten. Voor de reizigers per auto zie: 5.4. U mag Rusland niet binnenkomen met een scooter of motor. U moet een geldig rijbewijs en kentekenbewijs en een NL-sticker bij u hebben. WA-verzekering is niet verplicht; wel zeer aan te raden. Caravan: moet bijgeschreven zijn op de groene kaart en rijden onder hetzelfde kenteken.
Aan de grens zult u een douanedeclaratie moeten ondertekenen waarin u aangeeft hoeveel geld, waardepapieren etcetera u meeneemt. Bij vertrek moet u opnieuw zo'n declaratie tekenen.
Geld, reischeques en andere waardepapieren mogen onbeperkt worden ingevoerd, evenals 1/2 liter alcohol, 1 liter wijn, 250 sigaretten of 250 gram tabak.
Een invoerverbod geldt voor Russische valuta en waardepapieren, evenals voor vers fruit, groenten en vlees.
Een uitvoerverbod geldt voor Russische valuta en waardepapieren, kunstvoorwerpen en antiek.
Het is aan te raden alle aankoopbewijzen, alsook bewijzen van het wisselen van geld, te bewaren in verband met een vrije uitvoer uit Rusland.

Ваш паспорт, пожалуйста.	Uw paspoort a.u.b.
Ваша декларация, пожалуйста.	Uw douaneverklaring a.u.b.
Технический паспорт, пожалуйста.	Het kentekenbewijs a.u.b.
Ваша виза, пожалуйста.	Uw visum a.u.b.
Куда вы едете?	Waar gaat u naar toe?
Сколько вы собираетесь пробыть?	Hoelang bent u van plan te blijven?
Есть ли у вас что-нибудь, подлежащее оплате пошлиной?	Heeft u iets aan te geven?
Откройте это, пожалуйста	Wilt u deze openmaken?

Mijn kinderen zijn bijgeschreven in dit paspoort
• Мои дети вписаны в этот паспорт
ma-ie djeetie fpiesany w etat paspart

Ik ben op doorreis
• Я проездом
ja prajezdam

Ik ga op vakantie naar ...
• Я еду в отпуск в ...
ja jedoe w otpoesk w ...

Ik ben op zakenreis
• У меня деловая поездка
oe mjənja djəlawaja pajestka

Ik weet nog niet hoelang ik blijf
• Я еще не знаю, сколько я пробуду
ja jəssjo nje znajoe, skolka ja praboedoe

Ik blijf hier een weekend
• Я на выходные
ja na wychadnyjə

– een paar dagen
• Я на несколько дней
ja na njeskolka dneej

– een week
• Я на неделю
ja na njədjeeljoe

– twee weken
• Я на две недели
ja na dwe njədjeelie

Ik heb niets aan te geven
• У меня нет ничего, что подлежит оплате пошлиной
oe mjənja njet nietsjəwo, sjto padləzjyt aplatjə posjklienəj

Ik heb ... bij me
• У меня с собой есть ...
oe mjənja s saboj jeest ...

– een slof sigaretten
• У меня с собой есть блок сигарет
oe mjənja s saboj jeest blok siegarjet

– een fles ...
• У меня с собой есть бутылка ...
oe mjənja s saboj jeest boetylka ...

– enkele souvenirs	• У меня с собой есть несколько сувениров *oe mjənja s saboj jeest njeskolka soewjənieraf*
Dit zijn persoonlijke spullen	• Это личные вещи *eto lietsjnyjə weessjie*
Deze spullen zijn niet nieuw	• Эти вещи не новые *eetie weessjie nje nowyjə*
Hier is de bon	• Вот чек *wot tsjek*
Dit is voor eigen gebruik	• Это для меня *eto dlja mjənja*
Hoeveel moet ik aan invoerrechten betalen?	• Сколько нужно заплатить за ввоз? *skolka noezjna zaplatiet za wwos?*
Mag ik nu gaan?	• Можно пройти? *mozjna prajtie?*

5.2 Bagage

Kruier!	• Носильщик! *nasielssjiek!*
Wilt u deze bagage naar ... brengen a.u.b.?	• Отнесите багаж в ..., пожалуйста *atnjəsietjə bagasj w ..., pazjalsta*
Hoeveel krijgt u van mij?	• Сколько с меня? *skolka s mjənja?*
Waar kan ik een bagagewagentje vinden?	• Где тележки для багажа? *ĝdje tjəljesjkie dlja baĝazja?*
Kan ik deze bagage in bewaring geven?	• Могу я сдать багаж на хранение? *maĝoe ja zdat bagasj na chranjeeniejə?*
Waar zijn de bagagekluizen?	• Где автоматическая камера хранения? *ĝdje aftamatietsjəskaja kamjəra chranjeenieja?*
De kluis gaat niet open	• Сейф не открывается *seef nje atkrywajətsə*
Hoeveel kost het per stuk per dag?	• Сколько стоит сейф в день? *skolka sto-iet seef w djeen?*
Dit is niet mijn tas/koffer	• Это не моя сумка/ Это не мой чемодан *eto nje maja soemka/ eto nje moj tsjəmadan*
Er ontbreekt nog een stuk/tas/koffer	• Не хватает ещё одной вещи/сумки/ не хватает ещё одного чемодана *nje chwatajət jəssjo adnoj weessjie/ soemkie/nje chwatajət jəssjo adnawo tsjəmadana*
Mijn koffer is beschadigd	• Мой чемодан повреждён *moj tsjəmadan pawrəzjdjon*

5.3 Verkeersborden

In Rusland gebruikt men de internationale verkeersborden.
Twee borden zijn afwijkend:

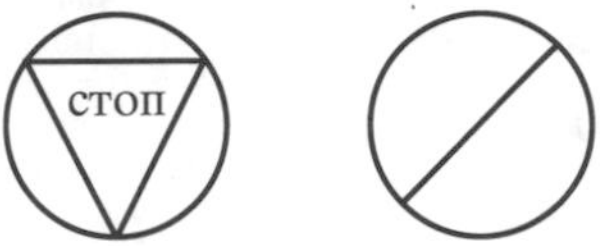

Stop — Einde van een verbod

Voorts kunt u in het verkeer de volgende opschriften tegenkomen:

берегитесь автомобиля! Let op, uitrit	одностороннее движение eenrichtingsverkeer
велосипедисты fietsers	опасно gevaar
внимание, впереди ведутся работы opgelet, werk in uitvoering	опасный поворот gevaarlijke bocht
(внимание) пешеходы (Opgelet) voetgangers	остановка автобуса bushalte
встречное движение tegenliggers	остановка запрещена verboden te stoppen
въезд запрещён inrit verboden	переход oversteekplaats
ГАИ verkeerspolitie	плохая дорога slecht wegdek
движение в один ряд enkele rijstrook	светофор за сто метров stoplichten na 100 meter
держитесь правой стороны rechts houden	сквозного прохода нет geen doorgaand verkeer
камнепад steenslag	стоп stop
обгон запрещён inhalen verboden	стоянка запрещена parkeren verboden
обочина zachte berm	сужение дороги wegversmalling
объезд wegomlegging	такси taxistandplaats
ограничение скорости snelheidsbeperking	таможня douane

5.4 De auto

Zie voor afbeelding pag. 61.

In de grotere steden kan men auto's (met of zonder chauffeur) huren. Indien men vanuit Nederland met de auto naar Rusland gaat, dient men het reisschema en de overnachtingen van tevoren bij een van de bij Intourist (het Russische staatsreisbureau) aangesloten reisbureaus in te dienen. Via Intourist bestelt (en betaalt) men ook de benodigde benzinebonnen.
Loodvrije benzine is niet te krijgen; LPG zéér sporadisch. Bij het tanken dient men te letten op het octaangehalte van de benzine. Dit varieert van 77 tot 96. Het is aan te raden benzine te nemen met een zo hoog mogelijk octaangehalte (informeer in uw garage van tevoren wat uw auto 'kan hebben'!).
Van de vastgestelde route mag niet worden afgeweken. De groene kaart is niet geldig in Rusland; aan de grens kan men een verzekering afsluiten bij Ingostrach, de staatsverzekeringsmaatschappij.
De verkeersregels wijken niet veel af van die in het westen. Binnen de bebouwde kom mag men niet harder dan 60, erbuiten niet harder dan 90 km/per uur, tenzij anders aangegeven. Binnen de bebouwde kom mag men niet claxonneren. De gordel is verplicht. De bestuurder mag absoluut geen alcohol tot zich hebben genomen. In de stad mag men 's avonds slechts parkeerlichten voeren.
500 km is het maximum dat men per dag mag afleggen en men dient voor het vallen van de avond de bestemming bereikt te hebben.

5.5 Het benzinestation

Hoeveel kilometer is het naar het volgende benzinestation?
• Сколько километров до следующей заправочной станции?
skolka kielamjetraf da sledoejoessjie zaprawatsjnəj stantsie-ie?

Ik wil ... liter ...
• Мне нужно ... литров
mnje noezjna ... lietraf...

– superbenzine
• Мне нужно ... литров бензина высшего качества
mnje noezjna ... lietraf bjənziena wysjəwa katsjəstwa

– benzine
• Мне нужно ... литров бензина
mnje noezjna ... lietraf bjənziena

ONDERWEG

De onderdelen van de auto (de genummerde onderdelen zijn afgebeeld)

1	accu	аккумулятор	*akoemoeljatar*
2	achterlicht	задняя фара	*zadnjaja fara*
3	achteruit-kijkspiegel	зеркало заднего обзора	*zerkalo zadnjəwa abzora*
	achteruit-rijlamp	фара для езды задним ходом	*fara dlja jəzdy zadniem chodam*
4	antenne	антенна	*antjena*
	autoradio	автомобильный радиоприёмник	*aftamabielny radie-opriejomniek*
5	benzinetank	бензобак	*bjənzabak*
6	bougies	свечи зажигания	*sweetsjie zazjyĝanieja*
	brandstoffilter/pomp	топливный фильтр/насос	*tapliewny fieltr/nasos*
7	buitenspiegel	наружное зеркало	*naroezjnajə zerkalo*
8	bumper	бампер	*bampjər*
	carburateur	карбюратор	*karbjoeratar*
	carter	масляный картер	*maslәny kartjər*
	cilinder	цилиндр	*tsieliendr*
	contactpunten	контактные точки	*kantaktnyjə totsjkie*
	controlelampje	контрольная лампочка	*kantrolnaja lampatsja*
	dynamo	динамо	*dienamo*
	gaspedaal	педаль акселератора	*pjədal akseljəratara*
	handrem	ручной тормоз	*roetsjnoj tormas*
	klep	клапан	*klapan*
9	knalpot	глушитель	*ĝloesjytjəl*
10	kofferbak	багажник	*baĝazjniek*
11	koplamp	фара	*fara*
	krukas	коленчатый вал	*kaljentsjaty wal*
12	luchtfilter	воздушный филтр	*wazdoesjny fieltr*
	mistachterlicht	задняя противотуманная фара	*zadnjaja pratiewatoemanaja fara*
13	motorblok	моторный блок	*matorny blok*
	nokkenas	распределительный вал	*razpredjəlietjəlny wal*
	oliefilter/pomp	масляный филтр/насос	*maslәny fieltr/nasos*
	oliepeilstok	щуп для замера уровня масла	*ssjoep dlja zamjera oerawnja masla*
	pedaal	педаль	*pjədal*
14	portier	дверь	*dweer*
15	radiateur	радиатор	*radie-atar*
16	remschijf	тормозной диск	*tarmaznoj diesk*
	reservewiel	запасное колесо	*zapasnojə kaljəso*
17	richtingaan-wijzer	указатель поворота	*oekazatjəl pawarota*
18	ruitenwisser	дворник	*dworniek*
19	schokbrekers	амортизаторы	*amartiezatary*
	schuifdak	раздвижная крыша	*razdwiezjnaja krysja*
	spoiler	спойлер	*spojlər*
	startmotor	стартовый двигатель	*startawy dwieĝatjəl*
20	stuurhuis	картер рулевого управления	*kartjər roeljəwowa oeprawleenieja*
21	uitlaatpijp	выхлоп	*wychlap*
22	veiligheids-gordel	ремень безопасности	*reemjən bjezapasnastie*
	ventilator	вентилятор	*wjəntieljatar*
23	verdelerkabels	провода свечи зажигания	*prawada sweetsjie zazjyĝanieja*
24	versnellings-handel	рычаг переключения передач	*rytsjak pjərəkloetsjee-nieja pjerədatsj*
25	voorruit	переднее стекло	*pjəreednjəjə stjəklo*
	waterpomp	водяной насос	*wadjənoj nasos*
26	wiel	колесо	*kaljəso*
27	wieldop	колпак колеса	*kalpak kaljəsa*
	zuiger	поршень	*porsjən*

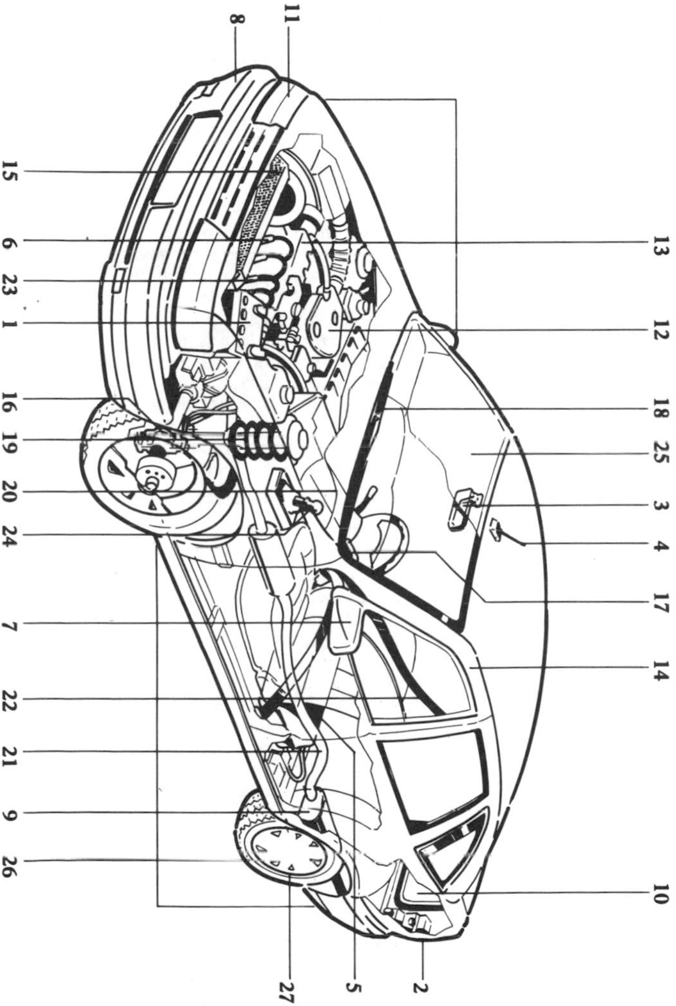
11
8
15
13
6
23
1
12
16
18
19
25
20
3
24
4
17
7
14
22
21
9
26
10
27
5
2

– diesel	• Мне нужно ... литров дизеля *mnje noezjna … lietraf diezəlja*
Ik wil voor … roebel LPG	• Мне нужен газ за ... рублей *mnje noezjən ĝas za … roebleej*
Vol a.u.b.	• Полный бак, пожалуйста *polny bak, pazjalsta*
Wilt u … controleren?	• Проверьте, пожалуйста ... *praweertjə, pazjalsta …*
– het oliepeil?	• Проверьте, пожалуйста, уровень масла *praweertjə, pazjalsta, oerawjən masla*
– de bandenspanning?	• Проверьте, пожалуйста, накачку шин *praweertjə, pazjalsta, nakatsjkoe sjyn*
Kunt u de olie verversen?	• Поменяйте масло, пожалуйста *pamjənjajtjə maslo, pazjalsta*
Kunt u de ruiten/ de voorruit schoonmaken?	• Вымойте стёкла/ветровое стекло, пожалуйста *wymojtjə stjokla / wjətrawojə stjəklo, pazjalsta*
Kunt u de auto een wasbeurt geven?	• Помойте машину, пожалуйста *pamojtjə masjynoe, pazjalsta*

5.6 Pech en reparaties

Ik heb pech. Kunt u me even helpen?	• У меня авария. Вы можете мне помочь? *oe mjənja awarieja. wy mozjətjə mnje pamotsj?*
Ik sta zonder benzine	• У меня кончился бензин *oe mjənja kontsjielsə bjənzien*
Ik heb de sleuteltjes in de auto laten zitten	• Я оставил(а) ключи в машине *ja astawiel(a) kljoetsjie w masjynjə*
De auto/motorfiets/ brommer start niet	• Машина/мотоцикл/мопед не заводится *masjyna/matatsiekl/mapjet nje zawodietsə*
Kunt u voor mij de wegenwacht waarschuwen?	• Вызовите скорую техническую помощь, пожалуйста *wyzawietjə skoroejoe tjəchnietsjəskoejoe pomassj, pazjalsta*
Kunt u voor mij een garage bellen?	• Позвоните в гараж, пожалуйста *pazwanietjə w ĝarasj, pazjalsta*
Mag ik met u meerijden naar … ?	• Вы меня не подвезёте до ...? *wy mjənja nje padwəz-jotjə da …?*

– een garage/de stad?	• Вы меня не подвезёте до гаража/города? *wy mjənja nje padwəz-jotjə da ĝarazja/ĝorada?*
– een telefooncel?	• Вы меня не подвезёте до телефонной будки? *wy mjənja nje padwəz-jotjə da tjeləfonəj boetkie?*
– een praatpaal?	• Вы меня не подвезёте до аварийного телефона? *wy mjənja nje padwəz-jotjə da awariejnawa tjeləfona?*
Kan mijn (brom)fiets ook mee?	• Можно взять велосипед (мотоцикл) с собой? *mozjna wzjat wjəlasiepjet (matasiekl) s saboj?*
Kunt u mij naar een garage slepen?	• Вы можете отбуксировать меня до гаража? *wy mozjətjə adboeksierawat mjənja da ĝarazja?*
Er is waarschijnlijk iets mis met ... (Zie 5.4 en 5.7)	• Скорее всего что-то с ... *skareejə fsəwo sjtota s ...*
Kunt u het zo repareren?	• Вы можете это починить? *wy mozjətjə eto patsjieniet?*
Kunt u mijn band plakken?	• Вы можете заклеить шину? *wy mozjətjə zaklee-iet sjynoe?*
Kunt u dit wiel verwisselen?	• Вы можете поменять колесо? *wy mozjətjə pamjənjat kaljəso?*
Kunt u het zo repareren, dat ik er mee naar ... kan rijden?	• Вы можете это так починить, чтобы я доехал(а) до ...? *wy mozjətjə eto tak patsjieniet, sjtoby ja dajechal(a) da ... ?*
Welke garage kan me wel helpen?	• В каком гараже мне могут помочь? *w kakom ĝarazje mnje moĝoet pamotsj?*
Wanneer is mijn auto/fiets klaar?	• Когда моя машина будет готова?/Когда мой велосипед будет готов? *kaĝda maja masjyna boedjət ĝatowa?/kaĝda moj wjəlasiepjet boedjət ĝatof?*
Kan ik er hier op wachten?	• Вы сделаете это при мне? *wy zdjelajətjə eto prie mnje?*
Hoeveel gaat het kosten?	• Сколько это будет стоить? *skolka eto boedjət sto-iet?*

De onderdelen van de fiets (de genummerde onderdelen zijn afgebeeld)

1	achterlicht	задний фонарь	*zadnie fanar*
2	achterwiel	заднее колесо	*zadnjəjə kaljəso*
3	bagagedrager	багажник	*baĝazjniek*
4	balhoofd	распределительная головка	*raspredjəlietjəlnaja ĝalofka*
5	bel	звонок	*zwanok*
	binnenband	камера шины	*kamjəra sjyny*
	buitenband	покрышка шины	*pakrysjka sjyny*
6	crank	кривошип	*kriewasjyp*
7	derailleur	цепная передача	*tsəpnaja pjerədatsja*
	draadje	проволочка	*prowalatsjka*
	dynamo	динамо	*dienamo*
	frame	рама	*rama*
8	jasbeschermer	сетка	*setka*
9	ketting	цепь	*tseep*
	kettingkast	кожух	*kazjoech*
	kettingslot	велосипедный замок	*wjəlasiepjedny zamok*
	kilometerteller	спидометр	*spiedomjetr*
	kinderzitje	детское седло	*djetskajə sədlo*
10	koplamp	передний фонарь	*pjəreednie fanar*
	lampje	лампочка	*lampatsjka*
11	pedaal	педаль	*pjədal*
12	pompje	насос	*nasos*

13	reflector	рефлектор	*rəfljektar*
14	remblokje	тормозная колодка	*tarmaznaja kalotka*
15	remkabel	тормозной трос	*tarmaznoj tros*
16	ringslot	кольцевой замок	*kaltsəwoj zamok*
17	snelbinders	резинки	*rəzienkie*
	snelheidsmeter	спидометр	*spiedomjetr*
18	spaak	спица	*spietsa*
19	spatbord	крыло	*krylo*
20	stuur	руль	*roel*
21	tandwiel	зубчатое колесо	*zoeptsjatajə kaljəso*
	toeclip	опора для пальцев ног	*apora dlja paltsəf nok*
22	trapas	педальная ось	*pjədalnaja os*
	trommelrem	барабанный тормоз	*barabany tormas*
23	velg	обод колеса	*obat kaljəsa*
24	ventiel	вентиль	*wjentiel*
	ventielslangetje	вентильный шланг	*wjentielny sjlank*
25	versnellings-kabel	передаточный трос	*pjerədatatsjny tros*
26	voorvork	вилка переднего колеса	*wielka pjəreednjəwa kaljəsa*
27	voorwiel	переднее колесо	*pjəreednjəjə kaljəso*
28	zadel	седло	*sədlo*

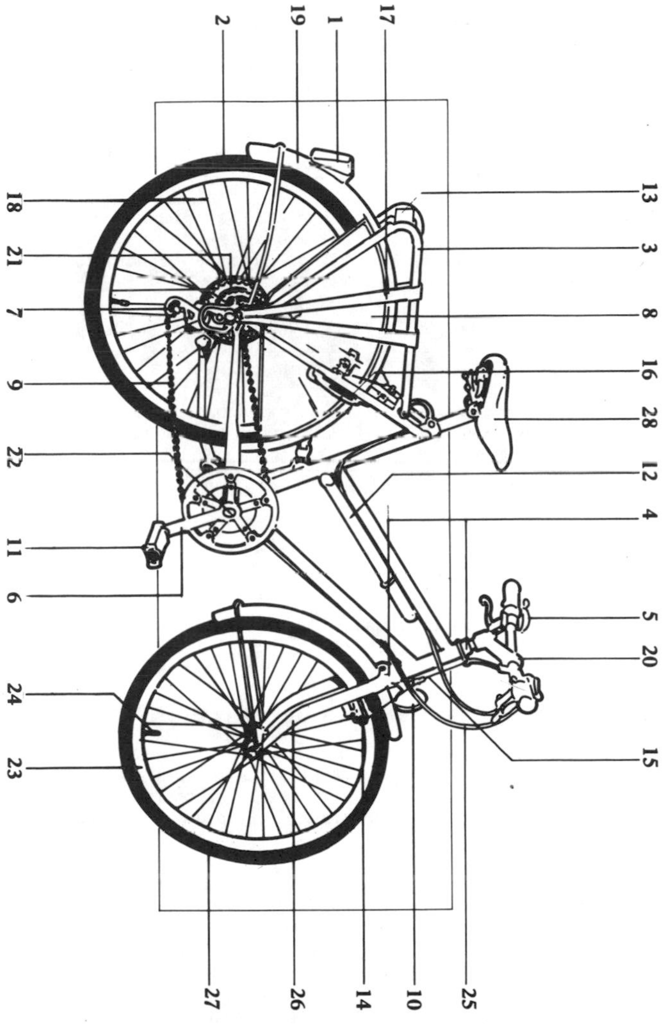
13
3
8
16
28
12
4
5
20
15
17
1
19
2
25
10
14
26
27
18
21
7
9
22
11
6
24
23

Kunt u de rekening specificeren?
• Вы можете подробно составить счёт?
wy mozjətjə padrobna sastawiet ssjot?

Mag ik een kwitantie voor de verzekering?
• Можно квитанцию для страховки?
mozjna kwietantsiejoe dlja strachofkie?

У меня нет запчастей для вашей машины/вашего велосипеда	Ik heb geen onderdelen voor uw wagen/fiets.
Я должен забрать запчасти в другом месте.	Ik moet de onderdelen ergens anders gaan halen.
Я должен заказать запчасти.	Ik moet de onderdelen bestellen.
Это займёт полдня.	Dat duurt een halve dag.
Это займёт день.	Dat duurt een dag.
Это займёт несколько дней.	Dat duurt een paar dagen.
Это займёт неделю.	Dat duurt een week.
Ваша машина окончательно сломана	Uw auto is total loss.
Ничего нельзя сделать.	Daar valt niets meer aan te doen.
Машина/мотоцикл/мопед/ велосипед будет готов(а) в ... часов.	De auto/motor/brommer/fiets is om ... uur klaar.

5.7 De (brom)fiets

Zie voor afbeelding pag. 65

Fietspaden zijn in Rusland zeldzaam. Er wordt over het algemeen weinig rekening gehouden met (brom)fietsers op de weg.

5.8 Vervoermiddel huren

Ik wil graag een ... huren
• Я бы хотел(а) взять напрокат ...
ja by chatjel(a) wz-jat naprakat ...

Heb ik daarvoor een (bepaald) rijbewijs nodig?
• Для этого нужны специальные права?
dlja etawa noezjny spetsie-alnyjə prawa?

Ik wil een ... huren voor ...
• Я хочу взять напрокат ... на ...
ja chatsjoe wz-jat naprakat ... na ...

– een dag
• Я хочу взять напрокат ... на один день
ja chatsjoe wz-jat naprakat ... na adien djeen

– twee dagen • Я хочу взять напрокат ... на два дня
ja chatsjoe wz-jat naprakat … na dwa dnja

Wat kost dat per dag/ week? • Сколько это стоит в день/неделю?
skolka eto sto-iet w djeen/njədjeeljoe?

Hoeveel is de borgsom? • Сколько составляет залог?
skolka sastawljajət zalok?

Mag ik een bewijs dat ik de borgsom betaald heb? • Можно квитанцию об уплате залога?
mozjna kwietantsiejoe ap oeplatje zaloĝa?

Hoeveel toeslag komt er per kilometer bij? • Какова доплата за километр?
kakawa daplata za kielamjetr?

Is de benzine erbij inbegrepen? • Это включая бензин?
eto fkloetsjaja bjənzien?

Is de verzekering erbij inbegrepen? • Это включая страховку?
eto fkloetsjaja strachofkoe?

Hoe laat kan ik de ... morgen ophalen? • Во сколько я могу забрать ... завтра?
waskolka ja maĝoe zabrat … zaftra?

Wanneer moet ik de ... terugbrengen? • Когда мне вернуть ... ?
kaĝda mnje wjərnoet … ?

Waar zit de tank? • Где бак?
ĝdje bak?

Wat voor brandstof moet erin? • Какое заливать горючее?
kakojə zaliewat ĝarjoetsjəjə?

5.9 Liften

In de steden treft men bij gebrek aan voldoende taxi's veel zg. 'snorders'. Een lift van zo'n snorder is in de regel niet gratis. Het verdient de voorkeur om van te voren een prijs af te spreken.
Liften buiten de grote steden is in principe niet toegestaan.

Waar gaat u naar toe? • Куда вы едете?
koeda wy jeedjətjə?

Mag ik met u meerijden? • Вы меня не подвезёте?
wy mjənja nje padwəz-jotjə?

Mag mijn vriend/vriendin ook mee? • Вы тоже возьмёте моего друга?/Вы тоже возьмёте мою подругу?
wy tozjə wazmjotjə majəwo droeĝa?/ wy tozjə wazmjotjə majoe padroeĝoe?

Ik moet naar ... • Мне нужно в ...
mnje noezjna w …

Ligt dat op de weg naar ... ? • Это по пути в ...?
eto pa poetie w … ?

Kunt u me ... afzetten? • Вы можете меня высадить в ...?
wy mozjətjə mjənja wysadiet w … ?

– hier	• Вы можете меня высадить здесь? *wy mozjətjə mjənja wysadiet zdjees ?*
– bij de afrit naar ...	• Вы можете меня высадить у поворота на ...? *wy mozjətjə mjənja wysadiet oe pawarota na ... ?*
– in het centrum	• Вы можете меня высадить в центре? *wy mozjətjə mjənja wysadiet w tsentrjə?*
– bij de volgende rotonde	• Вы можете меня высадить на следующем кругу? *wy mozjətjə mjənja wysadiet na sledoejoessjəm kroeĝoe?*
Wilt u hier stoppen a.u.b.?	• Остановитесь здесь пожалуйста *astanawietjəs zdjees pazjalsta*
Ik wil er hier uit	• Я хочу здесь выйти *ja chatsjoe zdjees wyjtie*
Dank u wel voor de lift	• Спасибо, что подвезли *spasieba, sjto padwəzlie*

6 Openbaar vervoer

Het merendeel van de toeristen in Rusland maakt deel uit van een georganiseerd reisgezelschap. Degenen die van het vaste programma willen afwijken om bijvoorbeeld een reis te ondernemen per trein, vliegtuig of boot, zullen zich voor de tickets, hotelreserveringen etcetera tot het staatsreisbureau Intourist moeten wenden (tegen betaling in westerse valuta).

6.1 Algemeen

Omroepberichten

Поезд на ..., время отправления ..., задерживается на ... минут.	De trein naar ... van ... uur heeft een vertraging van ... minuten.
На путь ... прибывает поезд на .../из ...	Op spoor ... komt binnen de trein naar .../uit ...
На пути ... продолжается посадка на поезд на ...	Op spoor ... staat nog gereed de trein naar ...
Поезд на ... отбывает сегодня с ... пути	De trein naar ... vertrekt vandaag van spoor ...
Мы приближаемся к станции ...	We naderen station ...

Waar gaat deze trein naar toe?
- Куда идёт этот поезд?
  koeda iedjot etat pojəst?

Gaat deze boot naar ...?
- Этот пароход идёт в ...?
  etat parachot iedjot w ...?

Kan ik deze bus nemen om naar ... te gaan?
- Могу я на этом автобусе доехать до ...?
  maĝoe ja na etam aftoboes-jə dajechat da ...?

Stopt deze trein in ...?
- Этот поезд останавливается в ...?
  etat pojəst astanawliewajətsə w ...?

Is deze plaats bezet/vrij/gereserveerd?
- Это место занято/свобдно/заказано?
  eto mjesto zanjəto/swabodno/zakazano?

Ik heb ... gereserveerd
- Я заказывал(а) ...
  ja zakazywal(a) ...

OPENBAAR VERVOER

Wilt u me zeggen waar ik moet uitstappen voor ...?	• Вы не подскажете, где мне выйти для ...? *wy nje patskazjətjə, ĝdje mnje wyjtie dlja ...?*
Wilt u me waarschuwen als we bij ... zijn?	• Вы предупредите меня, когда мы будем ое ...? *wy prədoeprədietjə mjənja, kaĝda my boedjəm oe ...?*
Wilt u bij de volgende halte stoppen a.u.b.?	• Остановитесь, пожалуйста, на следующей остановке *astanawietjəs, pazjalsta, na sledoejoessjəj astanofkjə*
Waar zijn we hier?	• Где мы? *ĝdje my?*
Moet ik er hier uit?	• Мне здесь выходить? *mnje zdjees wychadiet?*
Zijn we ... al voorbij?	• Мы уже проехали ...? *my oezje prajechalie ...?*
Hoelang heb ik geslapen?	• Сколько я проспал (проспала)? *skolka ja praspal (praspala)?*
Hoelang blijft ... hier staan?	• Сколько времени ... простоит здесь? *skolka wreemjənie ... prasto-iet zdjees?*
Kan ik op dit kaartje ook weer terug?	• Можно по этому билету проехать обратно? *mozjna pa etamoe bieljetoe prajechat abratna?*
Kan ik met dit kaartje overstappen?	• Можно сделать пересадку с этим билетом? *mozjna zdjelat pjerəsatkoe s eetiem bieljetam?*
Hoelang is dit kaartje geldig?	• Сколько времени действителен этот билет? *skolka wreemjənie djeestwietjəljən etat bieljet?*

6.2 Vragen aan passagiers

Soort plaatsbewijs

Первый класс, или второй класс?	Eerste klas of tweede klas?
В один конец, или туда и обратно?	Enkele reis of retour?

Место для курящих или нет?	Roken of niet roken?
У окна или у коридора?	Aan het raam of aan het gangpad?
Спереди или сзади?	Voorin of achterin?
Сидячее или спальное место?	Zitplaats of couchette?
Сверху, посередине или снизу?	Boven, midden of onder?
Туристский класс, или бизнес-класс?	Toeristenklasse of businessclass?
Каюта или стул?	Hut of stoel?
Одноместный, или двухместный?	Eenpersoons of tweepersoons?
Сколько вас?	Met hoeveel personen reist u?

Bestemming

Куда вы едете?	Waar gaat u naar toe?
Когда вы отъезжаете?	Wanneer vertrekt u?
Ваш ... отправляется в ...	Uw … vertrekt om …
Вам нужно сделать пересадку	U moet overstappen
Вам нужно выйти в ...	U moet uitstappen in …
Ван нужно проехать через ...	U moet via … reizen
Поездка туда в ...	De heenreis is op …
Поездка обратно в ...	De terugreis is op …
Вы должны быть на борту не позже ...	U moet uiterlijk … aan boord zijn

In het vervoermiddel

Ваш билет, пожалуйста	Uw plaatsbewijs a.u.b.
Ваш заказ, пожалуйста	Uw reservering a.u.b.
Ваш паспорт, пожалуйста	Uw paspoort a.u.b.
Вы занимаете не то место	U zit op de verkeerde plaats
Вы сидите в другом ...	U zit in de verkeerde …
Это место зарезервировано	Deze plaats is gereserveerd
Вам нужно доплатить	U moet toeslag betalen
... задерживается на ... минут	De … heeft vertraging van … minuten

6.3 Kaartjes

Waar kan ik ... ?	• Где можно ...? *ĝdje mozjna ...?*
– een kaartje kopen	• Где можно купить билет? *ĝdje mozjna koepiet bieljet?*
– een plaats reserveren	• Где можно заказать место? *ĝdje mozjna zakazat mjesto?*
– een vlucht boeken	• Где можно купить билет на самолёт? *ĝdje mozjna koepiet bieljet na samaljot?*
Mag ik ... naar ... ?	• Можно мне ... в ...? *mozjna mnje ... w ...?*
– een enkele reis	• Можно мне билет в один конец? *mozjna mnje bieljet w adien kanjets?*
– een retour	• Можно мне билет туда и обратно? *mozjna mnje bieljet toeda ie abratna?*
eerste klasse	• первый класс *pjerwy klas*
tweede klasse	• второй класс *ftaroj klas*
toeristenklasse	• туристский класс *toeriestskie klas*
businessclass	• бизнескласс *bieznjəsklas*
Ik wil een zitplaats/couchette/hut reserveren	• Я хочу заказать сидячее место/спальное место/каюту *ja chatsjoe zakazat siedjatsjəjə mjesto/spalnajə mjesto/kajoetoe*
Ik wil een plaats in de slaapwagen reserveren	• Я хочу заказать место в спальном вагоне *ja chatsjoe zakazat mjesto w spalnam waĝonjə*
boven/midden/onder	• сверху/посередине/снизу *swjerchoe/paserədienjə/sniezoe*
roken/niet roken	• для курящих/некурящих *dlja koerjassjiech/njekoerjassjiech*
aan het raam	• у окна *oe akna*
eenpersoons/tweepersoons	• одноместный/двухместный *adnomjestny/dwoechmjestny*
voorin/achterin	• спереди/сзади *speerədie/zzadie*

We zijn met ... personen	• Нас ... человек *nas ... tsjəlawjek*
een auto	• машина *masjyna*
een caravan	• караван *karawan*
... fietsen	• ... велосипедов *... wjəlasiepjedaf*
Heeft u ook een – ?	• У вас есть также - ? *oe was jeest taĝzjə –?*
– meerritten kaart	• У вас есть также билет для многократного использования? *oe was jeest taĝzjə bieljet dlja mnoĝakratnawa iespolzawanieja?*
– weekabonnement	• У вас есть также абонемент на неделю? *oe was jeest taĝzjə abonjəmjent na njədjeeljoe?*
– maandabonnement	• У вас есть также абонемент на месяц? *oe was jeest taĝzjə abonjəmjent na meesəts?*

6.4 Inlichtingen

Waar is – ?	• Где - ? *ĝdje –?*
– het inlichtingenbureau	• Где информационная служба? *ĝdje ienfarmatsie-onaja sloezjba?*
– een overzicht van de vertrektijden/aankomsttijden	• Где табло прибытия/отбытия? *ĝdje tablo priebytieja/adbytieja?*
Waar is de balie van ...?	• Где стол ...? *ĝdje stol ...?*
Heeft u een plattegrond van de stad met het bus-/metronet?	• У вас есть план города с указанием автобусов/метро? *oe was jeest plan ĝorada s oekazaniejəm aftoboesaf/mjətro?*
Heeft u een dienstregeling?	• У вас есть расписание? *oe was jeest raspiesaniejə?*

Ik wil mijn reservering/ reis naar ... bevestigen/ annuleren/wijzigen
• Я хочу подтвердить/аннулировать/ переменить заказ билета в ...
ja chatsjoe patwərdiet/anoelierawat/ pjerəmjəniet zakas bieljeta w ...

Krijg ik mijn geld terug?
• Я могу получить деньги обратно?
ja maĝoe paloetsjiet djeenĝie abratna?

Ik moet naar ... Hoe reis ik daar (het snelst) naar toe?
• Мне нужно в ... Как мне (быстрее) туда доехать?
mnje noezjna w ... kak mnje (bystreejə) toeda dajechat?

Hoeveel kost een enkele reis/retour naar ...?
• Сколько стоит билет в один конец в ...?/Сколько стоит билет туда и обратно в ...?
skolka sto-iet bieljet w adien kanjets w...?/ skolka sto-iet bieljet toeda ie abratna w ...?

Moet ik toeslag betalen?
• Мне нужно доплатить?
mnje noezjna daplatiet?

Mag ik de reis met dit ticket onderbreken?
• Могу я прервать путешествие с этим билетом?
maĝoe ja prərwat poetjəsjestwiejə s eetiem bieljetam?

Hoeveel bagage mag ik meenemen?
• Сколько можно взять багажа с собой?
skolka mozjna wz-jat baĝazja s saboj?

Gaat deze ...rechtstreeks?
• Идёт ... прямо туда?
idjot ... prjama toeda?

Moet ik overstappen? Waar?
• Мне нужно пересаживаться? Где?
mnje noezjna pjerəsazjywatsə? ĝdje?

Maakt het vliegtuig tussenlandingen?
• Самолёт делает промежуточные посадки?
samaljot djelajət pramjəzjoetatsjnyjə pasatkie?

Doet de boot onderweg havens aan?
• Пароход заходит по дороге в гавани?
parachot zachodiet pa daroĝjə w ĝawanie?

Stopt de trein/bus in ...?
• Поезд/автобус останавливается в ...?
pojəst/aftoboes astanawliewajətsə w ...?

Waar moet ik uitstappen?
• Где мне выходить?
ĝdje mnje wychadiet?

Is er een aansluiting naar ...?
• Существует связь в ...?
soessjəstwoejət swjas w ...?

Hoelang moet ik wachten?
• Сколько мне ждать?
skolka mnje zjdat?

Wanneer vertrekt ...?
• Когда отходит ...?
kaĝda atchodiet?

Hoe laat gaat de/het eerste/volgende/laatste ...?	• Во сколько идёт первый/следующий/ последний ...? *waskolka iedjot pjerwy/sledoejoessjie/ pasleednie ...?*
Hoelang doet ... erover?	• Сколько времени находится ... в пути? *skolka wreemjənie nachodietsə ... w poetie?*
Hoe laat komt ... aan in ...?	• Во сколько приходит ... в ...? *waskolka priechodiet ... w ...?*
Waar vertrekt de/het ... naar ...?	• Где отходит ... в ...? *gdje atchodiet ... w ...?*
Is dit ... naar ...?	• Этот ... идёт в ...? *etat ... iedjot w ...?*

6.5 Vliegtuig

Er zijn alleen lijnvluchten naar Rusland.

прилёт aankomst отлёт vertrek	международный internationaal внутренние полёты binnenlandse vluchten

6.6 Taxi

свободно vrij занято bezet	стоянка такси taxistandplaats

Taxi!	• Такси! *taksie!*
Kunt u een taxi voor me bellen?	• Вы можете заказать для меня такси? *wy mozjətjə zakazat dlja mjənja taksie?*
Waar kan ik hier in de buurt een taxi nemen?	• Где здесь можно поймать такси? *ĝdje zdjees mozjna pajmat taksie?*
Brengt u me naar – a.u.b.	• Отвсзитс мсня, пожалуйста, в - *atwəzietjə mjənja, pazjalsta, w –*
– dit adres	• Отвезите меня, пожалуйста, по этому адресу *atwəzietjə mjənja, pazjalsta, pa etamoe adrəsoe*

– hotel ...	• Отвезите меня, пожалуйста, в гостиницу *atwəzietjə mjənja, pazjalsta, w ĝastienietsoe*
– het centrum	• Отвезите меня, пожалуйста, в центр *atwəzietjə mjənja, pazjalsta, w tsentr*
– het station	• Отвезите меня, пожалуйста, на вокзал *atwəzietjə mjənja, pazjalsta, na waĝzal*
– het vliegveld	• Отвезите меня, пожалуйста, в аэропорт *atwəzietjə mjənja, pazjalsta, w a-eraport*
Hoeveel kost een rit naar ...?	• Сколько стоит поездка в ...? *skolka sto-iet pajestka w ...?*
Hoe ver is het naar ...?	• Как далеко до ...? *kak daljəko da ...?*
Wilt u de meter aanzetten a.u.b.?	• Включите, пожалуйста, счётчик *fkloetsjietjə, pazjalsta, ssjotsjiek*
Ik heb haast	• Я тороплюсь *ja tarapljoes*
Kunt u iets harder/langzamer rijden?	• Вы можете ехать побыстрее/помедленнее? *wy mozjətjə jechat pabystreejə/pameedlənjejə?*
Kunt u een andere weg nemen?	• Вы можете поехать по другой дороге? *wy mozjətjə pajechat pa droeĝoj daroĝjə?*
Laat u me er hier maar uit	• Высадите меня здесь *wysadietjə mjənja zdjees*
U moet hier –	• Вам нужно здесь - *wam noezjna zdjees–*
– rechtdoor	• Вам нужно здесь ехать прямо *wam noezjna zdjees jechat prjama*
– linksaf	• Вам нужно здесь повернуть налево *wam noezjna zdjees pawjərnoet naljewa*
– rechtsaf	• Вам нужно здесь повернуть направо *wam noezjna zdjees pawjərnoet naprawa*
Hier is het	• Это здесь *eto zdjees*
Kunt u een ogenblikje op mij wachten?	• Вы можете меня минутку подождать? *wy mozjətjə mjənja mienoetkoe padazjdat?*

7 Logeren en kamperen

7.1 Algemeen

Op de bonnefooi naar Rusland gaan en daar hotels boeken is niet mogelijk. Meestal maakt men deel uit van een georganiseerd reisgezelschap.
Als individueel toerist moet men het reisprogramma (met overnachtingen in hotels of op campings) van tevoren vastleggen. Eventuele wijzigingen dient men van tevoren bij Intourist aan te melden.
Logeren bij kennissen of vrienden is mogelijk indien men van hen een officiële uitnodiging heeft gekregen, en op basis daarvan de reis, het visum (consulaat!) en dergelijke in Nederland of België heeft georganiseerd.

Сколько вы пробудете?	Hoelang wilt u blijven?
Заполните этот бланк, пожалуйста	Wilt u dit formulier invullen a.u.b.?
Ваш паспорт, пожалуйста	Mag ik uw paspoort?
Вам нужно заплатить залог	U moet een borgsom betalen
Вам нужно заплатить вперёд	U moet vooruit betalen

Mijn naam is ... Ik heb een plaats gereserveerd (telefonisch/schriftelijk)
- Моя фамилия ... Я заказывал(а) место (по телефону/письменно)
  maja famielieja ... ja zakazywal(a) mjesto (pa tjeləfonoe/piesmjəna)

Wat kost het per nacht/week/maand?
- Сколько стоит в ночь/неделю/месяц?
  skolka sto-iet w notsj/njədjeeljoe/meesəts?

We blijven minstens ... nachten/weken
- Мы пробудем по крайней мере ... дней/недель
  my praboedjəm pa krajnjəj meerjə ... dneej/njədjeel

We weten het nog niet precies
- Мы ещё точно не знаем
  my jəssjo totsjna nje znajəm

Zijn huisdieren (honden/katten) toegestaan?
- Вы допускаете домашних животных (собак/кошек)?
  wy dapoeskajətjə damasjniech zjywotnych (sabak/kosjək)?

Hoe laat gaat het hek/de deur open/dicht?
• Во сколько вы открываете/закрываете ворота/дверь?
waskolka wy atkrywajətjə/ zakrywajətjə warota/dweer?

Wilt u een taxi voor me bellen?
• Закажите для меня, пожалуйста, такси
zakazjytjə dlja mjənja, pazjalsta, taksie

Is er post voor mij?
• Есть почта для меня?
jeest potsjta dlja mjənja?

7.2 Kamperen

Zie voor afbeelding pag. 81

Вы можете сами выбрать место	U mag zelf uw plaats uitzoeken
Вам укажут место	U krijgt een plaats toegewezen
Вот номер вашего места	Dit is uw plaatsnummer
Наклейте это на вашу машину, пожалуйста	Wilt u dit op uw auto plakken?
Не потеряйте эту карточку, пожалуйста	U mag dit kaartje niet verliezen

Waar is de beheerder?
• Где заведующий?
ĝdje zawjedoejoessjie?

Mogen we hier kamperen?
• Мы можем здесь поставить палатку?
my mozjəm zdjees pastawiet palatkoe?

We zijn met ... personen en ... tenten
• Нас ... человек и ... палаток
nas ... tsjəlawjek ie ... palatak

Mogen we zelf een plaats uitzoeken?
• Мы можем сами выбрать место?
my mozjəm samie wybrat mjesto?

Heeft u een rustig plekje voor ons?
• У вас есть тихое местечко для нас?
oe was jeest tiechajə mjəstjetsjko dlja nas?

Heeft u geen andere plaats vrij?
• У вас нет другого свободного места?
oe was njet droeĝowa swabodnawa mjesta?

Er is hier te veel wind/zon/schaduw
• Здесь слишком сильный ветер/Здесь слишком солнечно/Здесь слишком много тени
zdjees sliesjkam sielny weetjər/zdjees sliesjkam solnətsjna/zdjees sliesjkam mnoĝa tjeenie

Het is hier te druk
• Здесь слишком шумно
zdjees sliesjkam sjoemna

De grond is te hard/ ongelijk
• Земля слишком твёрдая/неровная
zəmlja sliesjkam twjordaja/njerowmaja

Heeft u een horizontale plek voor de camper/ caravan/vouwwagen?
• У вас есть горизонтальное место для кемпера/каравана/складного каравана?
oe was jeest ĝariezantalnajə mjesto dlja kempjəra/karawana/skladnowa karawana?

Kunnen wij bij elkaar staan?
• Мы можем стоять рядом?
my mozjəm stajat rjadam?

Mag de auto bij de tent geparkeerd worden?
• Можно поставить машину около палатки?
mozjna pastawiet masjynoe okala palatkie?

Wat kost het per persoon/ tent/caravan/auto?
• Сколько стоит на человека/палатку/ караван/машину?
skolka sto-iet na tsjəlawjeka/palatkoe/ karawan/masjynoe?

Heeft u een hut te huur?
• Вы сдаёте домики?
wy zdajotjə domiekie?

Zijn er – ?
• Есть ли - ?
jeest lie – ?

– douches met warm water
• Есть ли души с горячей водой?
jeest lie doesjy z ĝarjatsjəj wadoj?

– wasmachines
• Есть ли стиральные машины?
jeest lie stieralnyjə masjyny?

Is er op het terrein een – ?
• Есть на территории - ?
jeest na tjərietorie-ie – ?

–kinderspeelterrein
• Есть на территории детская площадка?
jeest na tjərietorie-ie djetskaja plassjatka?

– overdekte kook-gelegenheid
• Есть на территории крытое место для приготовления пищи?
jeest na tjərietorie-ie krytajə mjesto dlja prieĝatawleenieja piessjie?

Kan ik hier een kluis huren?
• Можно здесь снять сейф?
mozjna zdjees snjat seef?

Mogen we hier barbe-cuen?
• Здесь можно разжечь барбекю?
zdjees mozjna razjeetsj barbekjoe?

Zijn cr clcktriciteitsaan-sluitingen?
• Здесь есть электрические розетки?
zdjees jeest elektrietsjəskiejə razetkie?

Is er drinkwater?
• Здесь есть питьевая вода?
zdjees jeest pietjəwaja wada?

De kampeeruitrusting (de genummerde onderdelen zijn afgebeeld)

	bagagepunt	место для багажа	*mjesto dlja baĝazja*
	blikopener	открывалка	*atkrywalka*
	butagasfles	баллон с бутаном	*balon s boetanam*
1	fietstas	велосипедная сумка	*wjəlasiepjedńaja soemka*
2	gasstel	газовая плитка	*ĝazawaja plietka*
3	grondzeil	дно палатки	*dno palatkie*
	hamer	молоток	*malatok*
	hangmat	гамак	*ĝamak*
4	jerrycan	канистра	*kaniestra*
	kampvuur	костёр	*kastjor*
5	klapstoel	складной стул	*skladnoj stoel*
6	koelbox	сумка-холодильник	*soemka chaladielniek*
	koelelement	охлаждающий элемент	*achlazjdajoessjie eljəmjent*
	kompas	компас	*kompas*
	kousje	фитиль	*fietiel*
	kurketrekker	штопор	*sjtopar*
7	luchtbed	надувной матрац	*nadoewnoj matrats*
8	luchtbedstopje	затычка от надувного матраца	*zatytsjka at nadoewnowa matratsa*
	luchtpomp	воздушный насос	*wazdoesjny nasos*
9	luifel	навес	*nawjes*
10	matje	коврик	*kowriek*
11	pan	кастрюля	*kastroelja*
12	pannegreep	ручка кострюли	*roetsjka kastroelie*
	primus	примус	*priemoes*
	rits	молния	*molnieja*
13	rugzak	рюкзак	*rjoeĝzak*
14	scheerlijn	тяговый канат	*tjaĝawy kanat*
	slaapzak	спальный мешок	*spalny mjəsjok*
15	stormlamp	фонарь 'молния'	*fanar molnieja*
	stretcher	раскладушка	*raskladoesjka*
	tafel	стол	*stol*
16	tent	палатка	*palatka*
17	tentharing	колышек	*kolysjək*
18	tentstok	палка	*palka*
	thermosfles	термос	*tjermas*
19	veldfles	фляжка	*fljasjka*
	wasknijper	прищепка	*priessjepka*
	waslijn	бельевая верёвка	*bjeljəwaja wjərjofka*
	windscherm	ветровой щит	*wjətrawoj ssjiet*
20	zaklantaarn	карманный фонарь	*karmany fanar*
	zakmes	складной нож	*skladnoj nosj*

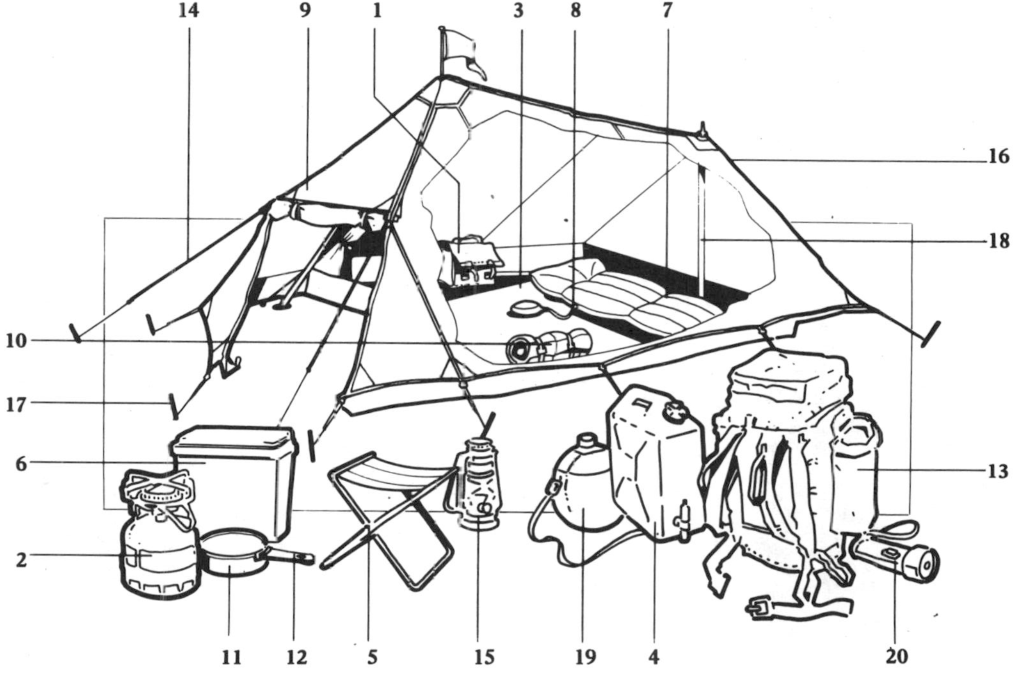
14
9
1
3
8
7
16
18
10
17
6
13
2
11
12
5
15
19
4
20

Wanneer wordt het afval opgehaald?	• Когда собирают мусор? *kağda sabierajoet moesar?*
Verkoopt u gasflessen (butagas/propaangas)?	• Вы продаёте баллоны с газом (бутан/пропан)? *wy pradajotjə balony s ĝazam (boetan/prapan)?*

7.3 Hotel/pension/appartement/huisje

Heeft u een eenpersoons/tweepersoons kamer vrij?	• У вас есть одноместный/двухместный номер? *oe was jeest adnomjestny/dwoechmjestny nomjər?*
per persoon/per kamer	• с человека/за номер *s tsjəlawjeka/za nomjər*
Is dat inclusief ontbijt/lunch/diner?	• Это включая завтрак/обед/ужин? *eto fkloetsjaja zaftrak abjet/oezjyn?*
Kunnen wij twee kamers naast elkaar krijgen?	• Мы можем снять два номера рядом? *my mozjəm snjat dwa nomjəra rjadam?*
met/zonder eigen toilet/bad/douche	• с туалетом/ванной/душем; без туалета/ванны/душа *s toe-aljetam/wanəj/doesjəm; bjes toe-aljeta/wany/doesja*
(niet) aan de straatkant	• (не) выходящий на улицу *(nje) wychadjassjie na oelietsoe*
met/zonder uitzicht op zee	• с видом на море/без вида на море *s wiedam na morjə/bjes wieda na morjə*
Is er in het hotel – ?	• Есть в гостинце - ? *jeest w ĝastienietsə – ?*
– een lift	• Есть в гостинце лифт? *jeest w ĝastienietsə lieft?*

Туалет и душ на том же этаже/в вашем номере	Toilet en douche zijn op dezelfde verdieping/uw kamer
Сюда, пожалуйста	Deze kant op
Ваша комната на ... этаже, номер ...	Uw kamer is op de … etage, het nummer is …

Mag ik de kamer zien?	• Можно посмотреть номер? *mozjna pasmatreet nomjər?*

Ik neem deze kamer	• Я сниму этот номер *ja sniemoe etat nomjər*
Deze kamer bevalt ons niet	• Этот номер нам не нравится *etat nomjər nam nje nrawietsə*
Heeft u een grotere/ goedkopere kamer?	• У вас есть больший номер?/У вас есть номер по-дешевле? *oe was jeest bolsjy nomjər/oe was jeest nomjər padjəsjewljə?*
Kunt u een kinderbedje bijplaatsen?	• Вы можете поставить детскую кроватку? *wy mozjətjə pastawiet djetskoejoe krawatkoe?*
Hoe laat is het ontbijt?	• Во сколько завтрак? *waskolka zaftrak?*
Waar is de eetzaal?	• Где столовая? *ĝdje stalowaja?*
Kan ik het ontbijt op de kamer krijgen?	• Вы можете принести завтрак в номер? *wy mozjətjə prienjəstie zaftrak w nomjər?*
Waar is de nooduitgang/ brandtrap?	• Где запасной выход/пожарная лестница? *ĝdje zapasnoj wychat/pazjarnaja leesnietsa?*
Waar kan ik mijn auto (veilig) parkeren?	• Где можно надёжно поставить машину? *ĝdje mozjna nadjozjna pastawiet masjynoe?*
De sleutel van kamer ... a.u.b.	• Ключ от номера ..., пожалуйста *kljoetsj at nomjəra ..., pazjalsta*
Mag ik dit in uw kluis leggen?	• Можно положить это в сейф? *mozjna palazjyt eto w seef?*
Wilt u mij morgen om ... wekken?	• Разбудите меня завтра в ... часов, пожалуйста *razboedietjə mjənja zaftra w ... tsjəsof, pazjalsta*
Kunt u mij aan een baby-oppas helpen?	• Вы можете найти мне няню для ребёнка? *wy mozjətjə najtie mnje njanjoe dlja rəbjonka?*
Mag ik een extra deken?	• У вас есть ещё одеяло? *oe was jeest jəssjo adjejalo?*
Op welke dagen wordt er schoongemaakt?	• По каким дням производится уборка? *pa kakiem dnjam pra-iezwodietsə oeborka?*

Wanneer worden de lakens/handdoeken/ theedoeken verschoond?	• Когда меняют постельное бельё/ полотенца/кухонные полотенца? *kaĝda mjənjajoet pastjeelnajə bjəljo/ palatjentsa/koechanyjə palatjentsa?*

7.4 Klachten

Wij kunnen niet slapen door het lawaai	• Мы не можем спать из-за шума *my nje mozjəm spat iezasjoema*
Kan de radio iets zachter?	• Нельзя ли сделать радио потише ? *njelz-ja lie zdjelat radie-o patiesjə?*
Het toiletpapier is op	• Кончилась туалетная бумага *kontsjielas toe-aljetnaja boemaĝa*
Er zijn geen/niet genoeg ...	• Нет/недостаточно ... *njet/njedastatatsjna ...*
Het beddegoed is vuil	• Постельное бельё грязное *pastjeelnajə bjəljo ĝrjaznajə*
De kamer is niet schoon-gemaakt	• Комната не убрана *komnata nje oebrana*
De keuken is niet schoon	• Кухня не убрана *koechnja nje oebrana*
De keukenspullen zijn vies	• Кухонные принадлежности грязные *koechanyjə prienadlezjnastie ĝrjaznyjə*
De verwarming doet het niet	• Отопление не работает *atapleeniejə nje rabotajət*
Er is geen (warm) water/ elektriciteit	• Нет (горячей) воды/электричества *njet (ĝarjatsjəj) wady/elektrietsjəstwa*
... is kapot	• ... сломан(а) *... sloman(a)*
Kunt u dat in orde laten brengen?	• Вы можете это починить? *wy mozjətjə eto patsjieniet?*
Mag ik een andere kamer/ plaats voor de tent?	• Можно другой номер?/Можно другое место для палатки? *mozjna droeĝoj nomjər?/mozjna droeĝojə mjesto dlja palatkie?*
Het bed kraakt ontzettend	• Кровать ужасно скрипит *krawat oezjasna skriepiet*
Het bed zakt te veel door	• Кровать очень прогибается *krawat otsjən praĝiebajətsə*
Heeft u een plank voor onder de matras?	• У вас есть доска под матрац? *oe was jeest daska pot matrats?*
Er is te veel lawaai	• Слишком шумно *sliesjkam sjoemna*

We hebben last van ongedierte/insekten
• Нас одолевают вредители/насекомые
nas adaljəwajoet wrədietjəlie/ nasəkomyjə

Het stikt hier van de muggen
• Здесь полно комаров
zdjees palno kamarof

– kakkerlakken
• Здесь полно тараканов
zdjees palno tarakanaf

– Nederlanders
• Здесь полно голландцев
zdjees palno ĝalantsəf

7.5 Vertrek

Zie ook 8.2 *Afrekenen*

Ik vertrek morgen. Kan ik nu afrekenen?
• Я уезжаю завтра. Рассчитайте меня, пожалуйста
ja oejezjajoe zaftra. rassjietajtjə mjənja, pazjalsta

Hoe laat moeten wij van … af?
• Во сколько мы должны покинуть ...?
waskolka my dalzjny pakienoet …?

Mag ik mijn borgsom/ paspoort terug?
• Можно получить залог/паспорт обратно?
mozjna paloetsjiet zalok/paspart abratna?

We hebben erge haast
• Мы очень торопимся
my otsjən taropiemsə

Kunt u mijn post doorsturen naar dit adres?
• Вы можете пересылать мою почту по этому адресу?
wy mozjətje pjerəsylat majoe potsjtoe pa etamoe adrəsoe?

Mogen onze koffers hier blijven staan totdat we vertrekken?
• Можно оставить чемоданы здесь до нашего отъезда?
mozjna astawiet tsjəmadany zdjees do nasjəwa atjezda?

Bedankt voor uw gastvrijheid
• Спасибо за гостеприимство
spasieba za ĝastjəprie-iemstwo

8 Geldzaken

In veel hotels en op luchthavens bevinden zich wisselkantoren. Bij het wisselen moet u uw paspoort en declaratieformulier tonen. Op vertoon van deze declaratie, rekeningen en wisselbewijzen kunt u bij vertrek resterende roebels terugwisselen (uitvoeren is verboden). Internationaal bekende creditcards worden in sommige winkels, in intouristkringen en deviezenwinkels, geaccepteerd. Elders is de creditcard, net zoals de betaalcheque, totaal onbekend. Cheques van American Express worden in de officiële wisselkantoren geaccepteerd.

8.1 Bank

Waar is hier ergens een bank/een wisselkantoor?
• Где здесь поблизости банк/обмен валюты?
ĝdje zdjees pabliezastie bank/abmjen waljoety?

Waar kan ik deze cheque inwisselen?
• Где можно поменять этот чек?
ĝdje mozjna pamjənjat etat tsjek?

Kan ik hier deze ... inwisselen?
• Можно здесь поменять ...?
mozjna zdjees pamjənjat ...?

Kan ik hier met een creditcard geld opnemen?
• Можно получить деньги по кредитной карточке?
mozjna paloetsjiet djeenĝie pa krədietnəj kartatsjkjə?

Wat is het minimum/maximum?
• Каков минимум/максимум?
kakof mieniemoem/maksimoem?

Mag ik ook minder opnemen?
• Можно получить меньше?
mozjna paloetsjiet meensjə?

Ik heb telegrafisch geld laten overmaken. Is dat al binnen?
• Мне перевели деньги по телеграфу. Они уже пришли?
mnje pjerəwjəlie djeenĝie pa tjeləĝrafoe. anie oezje priesjlie?

Dit zijn de gegevens van mijn bank in Nederland/België
• Вот данные моего банка в Голландии/Бельгии
wot danyjə majəwo banka w ĝalandie-ie/bjeelĝie-ie

Ik wil graag geld wisselen
• Я хочу поменять деньги
ja chatsjoe pamjənjat djeenĝie

guldens tegen ...
• Голландские гульдены на ...
ĝalantskiejə ĝoeldjəny na ...

Belgische franken tegen ...
- Бельгийские франки на ...
  bjəlĝieskiejə frankie na ...

Hoeveel is de wisselkoers?
- Какой валютный курс?
  kakoj waljoetny koers?

Kunt u me ook wat kleingeld geven?
- Вы можете дать мне часть мелочью?
  wy mozjətjə dat mnje tsjast mjelatsjoe?

Dit klopt niet
- Это неправильно
  eto njeprawielno

Распишитесь здесь	U moet hier tekenen
Заполните это	U moet dit invullen
Покажите, пожалуйста, паспорт	Mag ik uw paspoort zien?
Покажите, пожалуйста, удостоверение личности	Mag ik uw identiteitsbewijs zien?

8.2 Afrekenen

Kunt u het op mijn rekening zetten?
- Запишите на мой счёт, пожалуйста
  zapiesjytjə na moj ssjot, pazjalsta

Is de bediening (bij dit bedrag) inbegrepen?
- Это включая обслуживание?
  eto fkloetsjaja apsloezjywaniejə?

Kan ik met ... betalen?
- Можно заплатить ... ?
  mozjna zaplatiet ... ?

– een creditcard
- Можно заплатить кредитной карточкой?
  mozjna zaplatiet krədietnəj kartatsjkəj?

– een reischeque
- Можно заплатить дорожним чеком?
  mozjna zaplatiet darozjnym tsjekam?

– een vreemde valuta
- Можно заплатить иностранной валютой?
  mozjna zaplatiet ienastranəj waljoetəj?

U heeft me te veel/weinig (terug)gegeven
- Вы дали мне слишком много/мало сдачи
  wy dalie mnje sliesjkam mnoĝa/mala zdatsjie

Wilt u dit nog eens narekenen?
- Пересчитайте это, пожалуйста
  pjerəssjietajtjə eto, pazjalsta

Kunt u me een kwitantie/ de kassabon geven?
• Дайте мне, пожалуйста, квитанцию/чек
dajtjə mnje, pazjalsta, kwietantsiejoe/tsjek

Ik heb niet genoeg geld bij me
• У меня с собой недостаточно денег
oe mjənja s saboj njedastatatsjna djeenək

We nemen geen creditcards/reischeques/ vreemde valuta aan
• Мы не принимаем кредитные карточки/дорожные чеки/ иностранную валюту
my nje prieniemajəm krədietnyjə kartatsjkie/darozjnyjə tsjeekie/ ienastranoejoe waljoetoe

Alstublieft, dit is voor u
• Пожалуйста, это вам
pazjalsta, eto wam

Houdt u het wisselgeld maar
• Оставьте сдачу себе
astaftjə zdatsjoe səbje

9 PTT

9.1 Post

In de postkantoren kan men ook telefoneren en telegraferen (voor internationale gesprekken zijn er dikwijls speciale filialen). Girobetaalkaarten worden in Rusland niet geaccepteerd. In grote hotels bevinden zich kleine filialen die postzegels verkopen en telegrammen aannemen. De brievenbussen op straat zijn blauw.

почтовые переводы	postwissels
посылки	pakjes
марки	postzegels
телеграммы	telegrammen

Waar is ... ?	• Где ...? *ĝdje ... ?*
– hier ergens een postkantoor	• Где здесь поблизости почта? *ĝdje zdjees pabliezastie potsjta?*
– het hoofdpostkantoor	• Где главный почтамт? *ĝdje ĝlawny patsjtamt?*
– hier ergens een brievenbus	• Где здесь поблизости почтовый ящик? *ĝdje zdjees pabliezastie patsjtowy jassjiek?*
Welk loket moet ik hebben voor ... ?	• В каком окне можно ... ? *w kakom aknje mozjna ... ?*
– geld wisselen	• В каком окне можно поменять деньги? *w kakom aknje mozjna pamjənjat djeenĝie?*
– telegrafisch geld overmaken	• В каком окне можно переслать деньги по телеграфу? *w kakom aknje mozjna pjerəslat djeenĝie pa tjeləĝrafoe?*
Poste restante	• До востребования *da wastrebawanieja*
Is er post voor mij? Mijn naam is ...	• Есть почта для меня? Моя фамилия ... *jeest potsjta dlja mjənja? maja famielieja ...*

Postzegels

Hoeveel moet er op een … naar … ?	• Какие марки нужны для ... в ... ? ***kakiejə markie noezjny dlja … w … ?***
Zit er genoeg aan postzegels op?	• Достаточно марок ? ***dastatatsjna marak?***
Ik wil graag … postzegels van …	• ... марок ценой ... пожалуйста ***… marak tsənoj … , pazjalsta***
Ik wil dit … versturen	• Я хочу отправить это ... ***ja chatsjoe atprawiet eto …***
– per expresse	• Я хочу отправить это ... экспрессом ***ja chatsjoe atprawiet eto … ekspresam***
– per luchtpost	• Я хочу отправить это ... авиапочтой ***ja chatsjoe atprawiet eto … awie-apotsjtəj***
– aangetekend	• Я хочу отправить это ... заказным ***ja chatsjoe atprawiet eto … zakaznym***

Telegram/telefax

Ik wil graag een telegram versturen naar …	• Я хочу отправить телеграмму в ... ***ja chatsjoe atprawiet tjeləĝramoe w …***
Hoeveel kost het per woord?	• Сколько стоит одно слово? ***skolka sto-iet adno slowo?***
Dit is de tekst die ik wil versturen	• Вот текст телеграммы ***wot tjekst tjeləĝramy***
Zal ik het formulier zelf invullen?	• Давайте я заполню бланк сам(сама) ***dawajtjə ja zapolnjoe blank sam (sama)***
Kan ik hier fotokopiëren/ faxen?	• Могу я здесь сделать фотокопию?/ Могу я здесь отослать факс? ***maĝoe ja zdjees zdjelat fotokopiejoe?/ maĝoe ja zdjees ataslat faks?***
Hoeveel kost het per pagina?	• Сколько стоит за страницу? ***skolka sto-iet za stranietsoe?***

9.2 Telefoon

Zie ook 1.8 *Telefoonalfabet.*

Als u vanuit een cel wilt bellen, moet u eerst één 2-kopekenstuk (of twee 1-kopeke stukken) in de gleuf werpen voordat u de hoorn opneemt. Automatisch telefoneren naar het buitenland is niet mogelijk, dit moet men aanvragen in het hotel of op het postkantoor (zie 9.1)
Collect calls zijn niet mogelijk.

Is hier ergens een telefooncel in de buurt?
• Здесь есть поблизости телефон-автомат?
zdjees jeest pabliezastie tjeləfon aftamat?

Mag ik van uw telefoon gebruik maken?
• Можно воспользоваться вашим телефоном?
mozjna waspolzawatsə wasjym tjeləfonam?

Heeft u een telefoongids van de stad .../de streek ... ?
• У вас есть телефонный справочник города .../района ...?
oe was jeest tjeləfony sprawatsjniek ĝorada .../rajona ... ?

Kunt u me helpen aan het ...?
• Дайте мне, пожалуйста, ...
dajtjə mnje, pazjalsta, ...

–nummer van informatie buitenland
• Дайте мне, пожалуйста, номер информации для заграницы
dajtjə mnje, pazjalsta, nomjər ienfarmatsie-ie dlja zaĝranietsy

–nummer van kamer ...
• Дайте мне, пожалуйста, номер комнаты ...
dajtjə mnje, pazjalsta, nomjər komnaty ...

–kengetal van ...
• Дайте мне, пожалуйста, индекс ...
dajtjə mnje, pazjalsta, iendəks ...

–abonneenummer van ...
• Дайте мне, пожалуйста, номер ...
dajtjə mnje, pazjalsta, nomjər ...

Kunt u nagaan of dit nummer correct is?
• Проверьте, пожалуйста, правильность этого номера
praweertjə, pazjalsta, prawielnast etawa nomjəra

Moet ik via de telefoniste bellen?
• Нужно заказывать через телефонистку?
noezjna zakazywat tsjeerəs tjeləfaniestkoe?

Moet ik eerst een nul draaien?
• Нужно ли набрать сначала ноль?
noezjna lie nabrat snatsjala nolj?

Moet ik een gesprek aanvragen?
• Нужно ли запрашивать разговор?
noezjna lie zaprasjywat razĝawor?

Wilt u het volgende nummer voor me bellen?
• Наберите, пожалуйста, этот номер для меня
nabjərietjə, pazjalsta, etat nomjər dlja mjənja

Kunt u me doorverbinden met .../toestel ...?
• Свяжите меня, пожалуйста, с .../номером ...
swjəzytjə mjənja, pazjalsta, s .../nomjəram ...

Wat kost het per minuut?
• Сколько стоит в минуту?
skolka sto-iet w mienoetoe?

Heeft er iemand voor mij gebeld?
• Мне кто-то звонил?
mnje ktota zwaniel?

Het gesprek

Hallo, u spreekt met ...
• Здравствуйте, с вами говорит ...
zdrastwoejtjə, s wamie ĝawariet ...

Met wie spreek ik?
• С кем я говорю?
s kjem ja ĝawarjoe?

Spreek ik met ...?
• Я говорю с ...?
ja ĝawarjoe s ...?

Sorry, ik heb het verkeerde nummer gedraaid
• Извините, я ошибся номером
iezwienietjə, ja asjypsə nomjəram

Ik kan u niet verstaan
• Я вас не слышу
ja was nje slysjoe

Ik wil graag spreken met ...
• Я бы хотел(а) поговорить с ...
ja by chatjel(a) paĝawariet s ...

Is er iemand die Nederlands/Engels spreekt?
• Кто-нибудь говорит по-голландски/по-английски?
ktonieboet ĝwariet pa ĝalantskie/pa anĝlieskie?

Mag ik toestel ... van u?
• Свяжите меня пожалуйста, с номером ...
swjəzjytjə mjanja, pazjalsta, s nomjəram ...

Wilt u vragen of hij/zij me terugbelt?
• Попросите его/её перезвонить мне, пожалуйста
paprasietjə jəwo/jəjo pjerəzwaniet mnje, pazjalsta

Mijn naam is ... Mijn nummer is ...
• Меня зовут ... Мой номер ...
mjənja zawoet ... moj nomjər ...

Wilt u zeggen dat ik gebeld heb?
• Передайте, пожалуйста, что я звонил(а)
pjerədajtjə, pazjalsta, sjto ja zwaniel (a)

Ik bel hem/haar morgen terug
• Я позвоню ему/ей завтра
ja pazwanjoe jəmoe/jej zaftra

Вас к телефону	Er is telefoon voor u
Набирите сначала ноль	U moet eerst een nul draaien
Секундочку	Heeft u een momentje ?
Ничего не слышно	Ik krijg geen gehoor
Телефон занят	Het toestel is bezet
Вы подождёте?	Wilt u wachten?
Соединяю	Ik verbind u door
Вы ошиблись номером	U heeft een verkeerd nummer
Его/Её в данный момент нет	Hij/zij is op het ogenblik niet aanwezig
Он/она будет на месте ...	Hij/zij is … weer te bereiken
Это автоответчик ...	Dit is het automatisch antwoord-apparaat van …

10 Winkels

Levensmiddelenwinkels en markten zijn de hele week open, meestal van 8.00 tot 21.00 uur. Andere winkels gaan gewoonlijk om 20.00 dicht en hebben wel sluitingsdagen.
In de zogenaamde 'Berjozka-winkels' moet men met westerse valuta betalen.

антикварный магазин
  antiekwinkel
аптека
  apotheek/drogist
берёзка
  'Berjozka' (valutawinkel)
булочная/хлеб
  bakker
букинистический магазин
  boekenantiquariaat
вина/винный магазин
  slijterij
гастроном
  levensmiddelen
грампластинки
  grammofoonplatenzaak
дамское бельё
  dameslingerie
игрушки/магазин игрушек
  speelgoed
канцтовары
  schrijfwaren
книги/книжный магазин
  boekwinkel
комиссионый магазин
  tweedehandswinkel
кондитерская
  banketbakker
кожевенные товары
  lederwaren
кулинария
  kant-en-klaarprodukten
меха
  bontzaak
молоко
  melkprodukten
мясо/мясной магазин
  vleeswaren
обувь/магазин обуви
  schoenenwinkel
овощи и фрукты
  groente en fruit
очки, оптика
  opticien
парикмахерская
  (женская/мужская)
  kapper (dames-/heren)
парфюмерия
  parfumerie
посуда
  aardewerk
прачечная
  stomerij
продукты
  levensmiddelen
ремонт обуви
  schoenreparatie
рыба/рыбный магазин
  viswinkel
рынок
  markt
спортивные товары
  sportartikelen
сувениры/магазин сувениров
  souvenirwinkel
табак/табачный магазин
  tabaksartikelen
универмаг
  warenhuis

фарфор porselein	цветы/цветочный магазин bloemenwinkel
фототовары fotowinkel	электротовары elektrische aparaten
хозяйственные товары huishoudelijke artikelen	ювелирные изделия juwelier

10.1 Winkelgesprekken

In welke winkel kan ik … krijgen?
- В каком магазине я могу купить ...?
  w kakom maĝazienjə ja maĝoe koepiet …?

Wanneer is deze winkel open?
- Когда работает этот магазин?
  kaĝda rabotajət etat maĝazien?

Kunt u me de … afdeling wijzen?
- Покажите мне, пожалуйста, где отдел ...
  pakazjytjə mnje, pazjalsta ĝdje adjel …

Kunt u me helpen? Ik zoek …
- Вы мне не поможете? Я ищу ...
  wy mnje nje pamozjətjə? ja iessjoe …

Verkoopt u Nederlandse/Belgische kranten?
- Вы продаёте голландские/бельгийские газеты?
  wy pradajotjə ĝalantskiejə /bjəlĝieskiejə ĝaz-jety?

Вас уже обслуживают?	Wordt u al geholpen?

Nee ik had graag …
- Нет. Я бы хотел(а)
  njet. ja by chatjel (a)

Ik kijk wat rond, als dat mag
- Я просто хочу посмотреть, если можно
  ja prosta chatsjoe pasmatreet, jeeslie mozjna

Что-нибудь ещё?	Anders nog iets?

Ja, geeft u me ook nog …
- Да, мне нужно ещё ...
  da, mnje noezjna jəssjo …

Nee, dank u. Dat was het
- Нет, спасибо. Это всё ...
  njet, spasieba. eto fs-jo

Kunt u me … laten zien?
- Покажите, пожалуйста ...
  pakazjytjə, pazjalsta …

Ik wil liever …
- Мне бы хотелось ...
  mnje by chatjelas …

Dat is niet wat ik zoek	• Это не то, что я ищу *eto nje to, sjto ja iessjoe*
Dank u. Ik kijk nog even ergens anders	• Спасибо. Я поищу в другом месте *spasieba. ja pa-iessjoe w droeĝom meestjə*
Heeft u niet iets dat ... is?	• Есть у вас что-нибудь ... ? *jeest oe was sjtonieboet ...?*
– goedkoper	• Есть у вас что-нибудь подешевле? *jeest oe was sjtonieboet padjəsjewljə?*
– kleiner	• Есть у вас что-нибудь поменьше? *jeest oe was sjtonieboet pameensjə?*
– groter	• Есть у вас что-нибудь побольше? *jeest oe was sjtonieboet pabolsjə?*
Deze neem ik	• Это я возьму *eto ja wazmoe*
Zit er een gebruiksaanwijzing bij?	• Инструкция прилагается? *ienstroektsieja prielaĝajətsə?*
Ik vind het te duur	• Это слишком дорого *eto sliesjkam doraĝo*
Ik bied u ...	• Я даю ... *ja dajoe ...*
Wilt u die voor mij bewaren? Ik kom het straks ophalen	• Отложите это, пожалуйста. Я скоро вернусь *atlazjytjə eto, pazjalsta. ja skora wjərnoes*
Heeft u een tasje voor me?	• Вы мне не дадите пакет? *wy mnje nje dadietjə pakjet?*
Kunt u het inpakken in cadeaupapier?	• Вы можете это красиво упаковать? *wy mozjətjə eto krasiewa oepakowat?*

Извините, этого у нас нет	Het spijt me, dat hebben we niet
Извините, всё распродано	Het spijt me, dat is uitverkocht
Извините, это поступит снова ...	Het spijt me dat komt pas ... weer binnen
Заплатите в кассе	U kunt aan de kassa afrekenen
Мы не принимаем кредитные карточки	We nemen geen creditcards aan
Мы не принимаем дорожных чеков.	We nemen geen reischeques aan
Мы не принимаем иностранную валюту	We nemen geen vreemde valuta aan

10.2 Levensmiddelen

Ik wil graag een ons ...	• Сто грамм ... пожалуйста *sto ĝram ... pazjalsta*
– pond ...	• Полкило ... пожалуйста *polkielo ... pazjalsta*
– kilo ...	• Килограмм ... пожалуйста *kielaĝram ... pazjalsta*
Wilt u het voor me ... ?	• ... Пожалуйста *... pazjalsta*
Snijden in plakjes/ stukjes	• Порежьте на ломтики/куски, пожалуйста *paresjtjə na lomtiekie/kooskie, pazjalsta*
– raspen	• Натрите, пожалуйста *natrietjə, pazjalsta*
Kan ik het bestellen?	• Можно это заказать? *mozjna eto zakazat?*
Ik kom het morgen/om ... uur ophalen	• Я заберу это завтра/в ... часов *ja zabjəroe eto zaftra/w ... tsjəsof*
Is dit om te eten/drinken?	• это можно есть/пить? *eto mozjna jeest/piet?*
Wat zit erin?	• Из чего это? *iez tsjəwo eto?*

10.3 Kleding en schoeisel

Ik heb in de etalage iets gezien. Zal ik het aanwijzen?	• Я увидел(а) кое-что на витрине. Давайте покажу *ja oewiedjəl(a) kojəsjto na wietrienjə. dawajtjə pakazjoe*
Ik wil graag iets dat hierbij past	• Я хочу что-нибудь подходящее к этому *ja chatsjoe sjtonieboet patchadjassjəjə k etamoe*
Heeft u schoenen in dezelfde kleur als dit?	• У вас есть туфли такого же цвета? *oe was jeest toeflie takowazjə tsweta?*
Ik heb maat ... in Nederland/België	• Мой размер ... в Голландии/Бельгии *moj razmjer ... w ĝalandie-ie/bjeelĝie-ie*
Mag ik dit passen?	• Можно померить? *mozjna pameeriet?*
Waar is de paskamer?	• Где примерочная? *ĝdje priemjeratsjnaja?*

Het past me niet	• Мне не подходит *mnje nje patchodiet*
Dit is de goede maat	• Это мой размер *eto moj razmjer*
Het staat me niet	• Мне не идёт *mnje nje iedjot*
Heeft u deze ook in het ...	• У вас это есть в ...? *oe was eto jeest w ...?*
Ik vind de hak te hoog/ laag	• Каблук слишком высокий/низкий *kabloek sliesjkam wysokie/nieskie*
Is/zijn dit/deze echt leer?	• Это настоящая кожа? *eto nastajassjaja kozja?*
Ik zoek een ... voor een baby/kind van ... jaar	• Я ищу ... для ребёнка ...лет *ja iessjoe ... dlja rəbjonka ... ljet*
Ik had graag een ... van	• Я бы хотел(а) ... из *ja by chatjel(a) ... ies*
– zijde	• Я бы хотел(а) ... из шёлка *ja by chatjel(a) ... ies sjolka*
– katoen	• Я бы хотел(а) ... из хлопка *ja by chatjel(a) ... ies chopka*
– wol	• Я бы хотел(а) ... из шерсти *ja by chatjel(a) ... ies sjeerstie*
– linnen	• Я бы хотел(а) ... из льна *ja by chatjel(a) ... ies lna*
Op welke temperatuur kan ik het wassen?	• При какой температуре можно это стирать? *prie kakoj tjempəratoerjə mozjna eto stierat?*
Krimpt het in de was?	• Это садится при стирке? *eto sadietsə prie stierkjə?*

Повесить в намоченном виде Nat ophangen	Химчистка Chemisch reinigen
Ручная стирка Handwas	Не выжимать в центрифуге Niet centrifugeren
Машинная стирка Machinewas	Не гладить Niet strijken

Kunt u deze schoenen repareren?	• Вы можете починить эти туфли? *wy mozjətjə patsjieniet eetie toeflie?*
Kunt u hier nieuwe zolen/ hakken onder zetten?	• Вы можете поставить новые подмётки/каблуки? *wy mozjətjə pastawiet nowyjə padmjotkie/kabloekie?*
Wanneer zijn ze klaar?	• Когда они будут готовы? *kaĝda anie boedoet ĝatowy?*
Ik wil graag ...	• ... пожалуйста *... pazjalsta*
– een doosje schoensmeer	• Банку гуталина, пожалуйста *bankoe ĝoetaliena, pazjalsta*
– een paar veters	• Шнурки, пожалуйста *sjnoerkie, pazjalsta*

10.4 Foto en film

Ik wil graag een filmrolletje voor dit toestel	• Плёнку для этого фотоаппарата, пожалуйста *pljonkoe dlja etawa foto-aparata, pazjalsta*
– cassette	• кассету, пожалуйста *kasetoe, pazjalsta*
– 126-cassette	• кассету 'сто двадцать шесть' пожалуйста *kasetoe sto dwatsat sjeest, pazjalsta*
– diafilm	• Плёнку для слайдов, пожалуйста *pljonkoe dlja slajdaf, pazjalsta*
– filmcassette	• Плёнку для фильма, пожалуйста *pljonkoe dlja fielma, pazjalsta*
– videoband	• Видеокассету, пожалуйста *wiede-okasetoe, pazjalsta*
kleur/zwart-wit	• Цветная/чёрно-белая *tswətnaja/tsjornabjelaja*
super 8 mm	• Супер восьмимиллиметровая лента *soepjər wasmiemieliemjətrowaja ljenta*
12/24/36 opnamen	• Двснадцать/двадцать четыре/тридцать шесть кадров *dwənatsat/dwatsat tsjətyrjə/trietsat sjeest kadraf*

daglichtfilm
- Плёнка для съёмки при дневном свете
  pljonka dlja s-jomkie prie dnjəwnom sweetjə

kunstlichtfilm
- Плёнка для съёмки при искусственном свете
  pljonka dlja s-jomkie prie ieskoestwənam sweetjə

Problemen

Wilt u de film in het toestel doen?
- Вы можете зарядить фотоаппарат?
  wy mozjətjə zarjədiet foto-aparat?

Wilt u de film uit de camera halen?
- Вы можете вынуть плёнку из фотоаппарата?
  wy mozjətjə wynoet pljonkoe ies foto-aparata?

Moet ik de batterijen vervangen?
- Нужно заменить батарейки?
  noezjna zamjəniet batareejkie?

Wilt u naar mijn camera kijken? Hij doet het niet meer
- Посмотрите, пожалуйста, мой фотоаппарат. Он не работает
  pasmatrietjə, pazjalsta, moj foto-aparat on nje rabotojət

De ... is kapot
- ... сломан(а)
  ... sloman(a)

De film zit vast
- Плёнку заело
  pljonkoe zajelo

De film is gebroken
- Плёнка порвалась
  pljonka parwalas

De flitser doet het niet
- Вспышка не работает
  fspysjka nje rabotajet

Ontwikkelen en afdrukken

Ik wil deze film laten ontwikkelen/afdrukken
- Проявите/отпечатайте эту плёнку, пожалуйста
  prajəwietjə/atpjətsjatajtjə etoe pljonkoe, pazjalsta

Ik wil graag ... afdrukken van elk negatief
- ... отпечатков с каждого кадра, пожалуйста
  ... atpjətsjatkaf s kazjdawa kadra, pazjalsta

glanzend/mat
• Глянцевый/матовый
ĝljantsəwy/ matawy

6 x 9 (zes bij negen)
• Шесть на девять
sjeest na djeewət

Ik wil deze foto's bijbestellen
• Я хочу дополнительно заказать эти фотографии
ja chatsjoe dapalnietjəlna zakazat eetie fotoĝrafie-ie

Ik wil deze foto laten vergroten
• Мне нужно увеличить эту фотографию
mnje noezjna oewjəlietsjiet etoe fotoĝrafie-joe

Hoeveel kost het ontwikkelen?
• Сколько стоит проявление?
skolka sto-iet prajəwleeniejə?

– het afdrukken
• Сколько стоит отпечатка?
skolka sto-iet atpjətsjatka?

– de bijbestelling
• Сколько стоит дополнительный заказ?
skolka sto-iet dapalnietjəlny zakas?

– de vergroting
• Сколько стоит увеличение?
skolka sto-iet oewjəlietsjeeniejə?

Wanneer zijn ze klaar?
• Когда они будут готовы?
kaĝda anie boedoet ĝatowy?

10.5 Kapper

Moet ik een afspraak maken?
• Нужно договориться заранее?
noezjna daĝawarietsə zaranjəjə?

Kunt u me direct helpen?
• Вы можете меня сейчас постричь?
wy mozjətjə mjənja seejtsjas pastrietsj?

Hoelang moet ik wachten?
• Сколько мне ждать?
skolka mnje zjdat?

Ik wil mijn haar laten wassen/knippen
• Я хочу помыть голову/я хочу постричься
ja chatsjoe pamyt ĝolawoe/ja chatsjoe pastrietsjsə

Ik wil graag een shampoo tegen vet/droog haar
• Пожалуйста, шампунь для жирных/сухих волос
pazjalsta, sjampoen dlja zjyrnych/soechiech walos

– tegen roos
• Пожалуйста, шампунь против перхоти
pazjalsta, sjampoen protief pjerchatie

– voor gepermanent/ geverfd haar
• Пожалуйста, шампунь для химической завивки/крашеных волос
pazjalsta, sjampoen dlja chiemietsjəskəj zawiefkie/krasjənych walos

– een kleurshampoo
• Пожалуйста, красящий шампунь
pazjalsta, krasəssjie sjampoen

– een shampoo met een conditioner
• Пожалуйста, шампунь с ополаскивателем
pazjalsta, sjampoen s apalaskiewatjələm

Heeft u een kleurenkaart?
• У вас есть гамма цветов?
oe was jeest ĝama tswətof?

Ik wil dezelfde kleur houden
• Такой же цвет, как сейчас
takojzjə tswet, kak səjtsjas

Ik wil het donkerder/ lichter
• Я хочу темнее/светлее
ja chatsjoe tjəmneejə/swətleejə

Ik wil (geen) versteviger in mijn haar
• С укрепителем, пожалуйста (без укрепителя, пожалуйста)
s oekrəpietjələm, pazjalsta (bjes oekrəpietjəljə, pazjalsta)

– gel
• Гель, пожалуйста
ĝeelj, pazjalsta

– lotion
• Лосьон, пожалуйста
las-jon,pazjalsta

Ik wil mijn pony kort
• Короткую чёлку, пожалуйста
karotkoejoe tsjolkoe, pazjalsta

– het van achteren niet te kort
• Сзади не очень коротко, пожалуйста
zzadie nje otsjən koratka, pazjalsta

– het hier niet te lang
• Здесь покороче, пожалуйста
zdjees pakarotsjə, pazjalsta

– (niet te veel) krullen
• Завивку, пожалуйста (поменьше кудрей, пожалуйста)
zawiefkoe, pazjalsta (pameensjə koedreej, pazjalsta)

Er moet een klein stukje/ flink stuk af
• Отрежьте поменьше/побольше, пожалуйста
atresjtjə pameensjə/pabolsjə,pazjalsta

Ik wil een heel ander model
• Я хочу совсем другую причёску
ja chatsjoe safs-jem droeĝoejoe prietsjoskoe

Ik wil mijn haar zoals …	• Я хочу причёску как … *ja chatsjoe ptietsjoskoe kak …*
– die mevrouw	• Я хочу причёску как у этой женщины *ja chatsjoe prietsjoskoe kak oe etəj zjeenssjieny*
– op deze foto	• Я хочу причёску как на этой фотографии *ja chatsjoe prietsjoskoe kak na etəj fotoĝrafie-ie*
Kunt u de haardroogkap hoger/lager zetten?	• Поставьте, пожалуйста, колпак повыше/пониже *pastaftjə, pazjalsta, kalpak pawysjə/paniezjə*
Ik wil graag een gezichtsmasker	• Маску для лица, пожалуйста *maskoe dlja lietsa, pazjalsta*
– een manicure	• Маникюр, пожалуйста *maniekjoer, pazjalsta*
– een massage	• Массаж, пожалуйста *masasj, pazjalsta*

Как вас постричь?	Hoe wilt u uw haar geknipt hebben?
Какую бы вы хотели причёску?	Welk model heeft u op het oog?
Какой сделать цвет?	Welke kleur moet het worden?
Температура нормальная?	Is dit de goede temperatuur?
Хотите что-нибудь почитать?	Wilt u iets te lezen hebben?
Хотите что-нибудь пить?	Wilt u iets drinken?
Вас всё устраивает?	Is het zo naar uw zin?

Wilt u mijn … bijknippen?	• Подстригите мой (мою) … пожалуйста *patstrieĝietjə moj (majoe) … pazjalsta*
– pony	• Подстригите мою чёлку, пожалуйста *patstrieĝietjə majoe tsjolkoe, pazjalsta*
– baard	• Подстригите мою бороду, пожалуйста *patstrieĝietjə majoe boradoe, pazjalsta*
– snor	• Подравняйте мои усы, пожалуйста *padrawnjajtjə ma-ie oesy, pazjalsta*

104

Scheren a.u.b.

- Побрейте, пожалуйста
  pabreejtjə, pazjalsta

Ik wil met een mesje geschoren worden

- Побрейте меня лезвием, пожалуйста
  pabreejtjə mjənja leezwiejəm, pazjalsta

11 Informeren bij de VVV

11.1 Bezienswaardigheden

Waar is het VVV-kantoor?	• Где туристическое бюро? *ĝdje toeriestietsjəskajə bjoero?*
Heeft u een plattegrond van de stad?	• У вас есть план города? *oe was jeest plan ĝorada?*
Kunt u mij informatie geven over ...	• У вас есть информация о ...? *oe was jeest ienfarmatsieja a ...?*
Hoeveel moeten we u hiervoor betalen?	• Сколько с нас? *skolka s nas?*
Wat zijn de belangrijkste bezienswaardigheden?	• Какие самые известные достопримечательности? *kakiejə samyjə iezwestnyjə dastapriemjətsjatjəlnastie?*
Kunt u die aanwijzen op de kaart?	• Покажите, пожалуйста, на карте *pakazjytjə, pazjalsta, na kartjə*
Wat raadt u ons aan?	• Что вы нам рекомендуете? *sjto wy nam rəkamjəndoejətjə?*
We blijven hier een paar uur	• Мы пробудем здесь пару часов *my praboedjəm zdjees paroe tsjəsof*
– een dag	• Мы пробудем здесь день *my praboedjəm zdjees djeen*
– een week	• Мы пробудем здесь неделю *my praboedjəm zdjees njədjeeljoe*
We zijn geïnteresseerd in ...	• Нас интересует ... *nas ientjerəsoejət ...*
Kunnen we een stadswandeling maken?	• Мы можем пройтись по городу? *my mozjəm prajties pa ĝoradoe?*
Hoelang duurt die?	• Сколько это займёт времени? *skolka eto zajmjot wreemjənie?*
Waar is het startpunt/eindpunt?	• Где начало/конец? *ĝdje natsjalo kanjets?*
Zijn er hier rondvaartboten?	• Здесь есть параходные экскурсии? *zdjees jeest parachodnyjə ekskoersie-ie?*
Waar kunnen we aan boord gaan?	• Где посадка? *ĝdje pasatka?*
Zijn er rondritten per bus?	• Есть ли автобусные экскурсии? *jeest lie aftoboesnyjə ekskoersie-ie?*

Waar moeten we opstappen?
• Где посадка?
ĝdje pasatka?

Is er een gids die Engels spreekt?
• Есть ли гид, говорящий по-английски?
jeest lie ĝiet, ĝawarjassjie pa anĝlieskie?

Welke uitstapjes kan men in de omgeving maken?
• Какие можно сделать вылазки в окрестности?
kakiejə mozjna zdjelat wylaskie w akresnastie?

Zijn er excursies?
• Есть ли экскурсии?
jeest lie ekskoersie-ie?

Waar gaan die naar toe?
• Куда?
Koeda?

We willen naar ...
• Мы хотим в ...
my chatiem w ...

Hoelang duurt die tocht?
• Сколько длится поездка?
skolka dlietsə pajestka?

Hoelang blijven we in ...?
• Сколько времени мы пробудем в ...?
skolka wreemjənie my praboedjəm w ...?

Zijn er rondleidingen?
• Будут ли экскурсии?
boedoet lie ekskoersie-ie?

Hoeveel tijd hebben we daar voor onszelf?
• Сколько у нас будет свободного времени?
skolka oe nas boedjət swabodnawa wreemjənie?

We willen een trektocht maken
• Мы хотим в поход
my chatiem w pachot

Kunnen we een gids huren?
• Можно нанять гида?
mozjna nanjat ĝieda?

Hoe laat gaat ... open/dicht?
• Когда открывается/закрывается ...?
kaĝda atkrywajətsə/zakrywajətsə ...?

Op welke dagen is ... geopend/gesloten?
• По какии дням ... открыт/закрыт?
pa kakiem dnjam ... atkryt/zakryt?

Hoeveel is de toegangsprijs?
• Сколько стоит билет?
skolka sto-iet bieljet?

Is er reductie voor groepen?
• Есть ли скидка для групп?
jeest lie skietka dlja ĝroep?

– kinderen
• Есть ли скидка для детей?
jeest lie skietka dlja djətjeej?

– 65+
• Есть ли скидка для пенсионеров?
jeest lie skietka dlja pensie-anjeraf?

Mag ik hier fotograferen (met flits)/filmen?
• Здесь можно фотографировать (со вспышкой)/снимать?
zdjees mozjna fotoĝrafierawat (sa fspysjkəj)/sniemat?

Verkoopt u ansichtkaarten met ... erop?	• У вас есть открытки с ... ? *oe was jeest atkrytkie s ...?*
Heeft u een ... in het Nederlands?	• У вас есть ... на голландском? *oe was jeest ... na ĝalantskam?*
– catalogus	• У вас есть каталог на голландском? *oe was jeest katalok na ĝalantskam?*
– programma	• У вас есть программа на голландском? *oe was jeest praĝrama na ĝalantskam?*
– brochure	• У вас есть брошюра на голландском? *oe was jeest brasjoera na ĝalantskam?*

11.2 Uitgaan

Kaartjes voor theaters, concertzalen en dergelijke kunt u in principe bij de betreffende kassa's kopen. Veel makkelijker bent u echter af als u ze bij Intourist bestelt. U moet dan wel in westerse valuta betalen. De meeste buitenlandse films zijn nagesynchroniseerd.

Wat is er vanavond te doen?	• Куда сегодня можно пойти? *Koeda səwodnjə mozjna pajtie?*
We willen naar ...	• Мы хотим в ... *my chatiem w ...*
Welke films draaien er?	• Какие идут фильмы? *kakiejə iedoet fielmy?*
Wat voor een film is dat?	• Что это за фильм? *sjto eto za fielm?*
alle leeftijden	• Все возрасты *fs-je wozrasty*
boven de 12/16 jaar	• Детям до двенадцати/шестнадцати лет вход воспрещён *djeetjəm da dwənatsatie/sjəsnatsatie ljet fchot wasprəssjon*
originele versie	• Недублированный *njedoeblierawany*
met ondertitels	• С субтитрами *s soeptietramie*
nagesynchroniseerd	• Дублированный *doeblierawany*
Is het een doorlopende voorstelling?	• Без антракта? *bjes antrakta?*

Wat is er te doen in ...?	• Что можно посмотреть в ... ? *sjto mozjna pasmatreet w ... ?*
– het theater	• Что можно посмотреть в театре? *sjto mozjna pasmatreet w te-atrjə ?*
– het concertgebouw	• Что можно послушать в концертном зале? *sjto mozjna pasloesjat w kantsertnam zaljə?*
– de opera	• Что можно посмотреть в опере? *sjto mozjna pasmatreet w operjə?*
Waar is hier een goede disco?	• Где здесь хорошая дискотека? *ĝdje zdjees charosjaja dieskatjeka?*
Is lidmaatschap vereist?	• Нужно быть членом? *noezjna byt tsjlenam?*
Waar is hier een goede nachtclub?	• Где здесь хороший ночной клуб? *ĝdje zdjees charosjy natsjnoj kloep?*
Is avondkleding verplicht?	• Вечерняя одежда обязательна? *wjətsjernjaja adjezjda abjəzatjəlna?*
– gewenst	• Вечерняя одежда желательна? *wjətsjernjaja adjezjda zjəlatjəlna?*
Hoe laat begint de show?	• Во сколько начинается представление? *waskolka natsjienajətsə prətstawleeniejə?*
Wanneer is de eerstvolgende voetbalwedstrijd?	• Когда следующий футбольный матч? *kaĝda sledoejoessjie foedbolny matsj?*
Wie spelen er tegen elkaar?	• Кто играет? *kto ieĝrajət?*

11.3 Kaartjes reserveren

Kunt u voor ons reserveren?	• Вы можете для нас заказать? *wy mozjətjə dlja nas zakazat?*
We willen ... plaatsen/een tafeltje ...	• Мы хотим ... мест/столик *my chatiem ... mjest/stoliek*
– in de zaal	• Мы хотим ... мест/столик в зале *my chatiem ... mjest/stoliek w zaljə*
– op het balkon	• Мы хотим ... мест/столик на балконе *my chatiem ... mjest/stoliek na balkonjə*
– in de loge	• Мы хотим ... мест/столик в ложе *my chatiem ... mjest/stoliek w lozjə*

– vooraan
• Мы хотим ... мест/столик спереди
my chatiem … mjest/stoliek spjeerədie

– in het midden
• Мы хотим ... мест/столик посередине
my chatiem … mjest/stoliek paserədienjə

– achteraan
• Мы хотим ... мест/столик сзади
my chatiem … mjest/stoliek zzadie

Kan ik ... plaatsen voor de voorstelling van ... uur reserveren?
• Можно заказать ... мест на представление в ...часов?
mozjna zakazat … mjest na prətstawleeniejə w … tsjəsof?

Zijn er nog kaartjes voor vanavond?
• Есть ещё билеты на вечер?
jeest jəssjo bieljety na weetsjər?

Hoeveel kost een kaartje?
• Сколько стоит билет?
skolka sto-iet bieljet?

Wanneer kan ik de kaartjes ophalen?
• Когда я могу забрать билеты?
kaĝda ja maĝoe zabrat bieljety?

Ik heb gereserveerd
• Я заказывал(а)
ja zakazywal(a)

Mijn naam is ...
• Моя фамилия ...
maja famielieja…

На какое представление вы хотите заказать?	Voor welke voorstelling wilt u reserveren?
Где вы хотите сидеть?	Waar wilt u zitten?
Все билеты распроданы	Alles is uitverkocht
Только стоячие места	Er zijn alleen nog staanplaatsen
Только места на балконе	Er zijn alleen nog plaatsen op het balkon
Только места на галёрке	Er zijn alleen nog plaatsen op het schellinkje
Только места в зале	Er zijn alleen nog plaatsen in de zaal
Только места спереди	Er zijn alleen nog plaatsen vooraan
Только места сзади	Er zijn alleen nog plaatsen achteraan
Сколько мест?	Hoeveel plaatsen wilt u?
Вы должны забрать билеты до ... часов	U moet de kaartjes vóór … uur ophalen
Ваши билеты, пожалуйста	Mag ik uw plaatsbewijzen zien?
Вот ваше место	Dit is uw plaats

12 Sportieve ontspanning

12.1 Sportieve vragen

Waar kunnen we hier ...?	• Где мы можем ... ? *ĝdje my mozjəm ...?*
Is er hier een ... in de buurt?	• Здесь есть ... поблизости? *zdjees jeest ... pabliezastie?*
Kan ik hier een ... huren?	• Здесь можно взять напрокат ...? *zdjees mozjna wz-jat naprakat ... ?*
Kan ik les nemen in ...?	• Можно брать уроки ...? *mozjna brat oerokie ... ?*
Hoeveel kost dat per uur/dag/keer?	• Сколько это стоит в час/день/за один раз? *skolka eto sto-iet w tsjas/djeen/za adien ras?*
Heb je daarvoor een vergunning nodig?	• Нужно ли для этого разрешение? *noezjna lie dlja etawa razrəsjeeniejə?*
Waar kan ik die vergunning krijgen?	• Где можно получить разрешение? *ĝdje mozjna paloetsjiet razrəsjeeniejə?*

12.2 Aan het water

Is het nog ver (lopen) naar zee?	• Ещё далеко до моря? *jəssjo daljəko da morja?*
Is er hier ook een ... in de buurt?	• Есть здесь поблизости также ...? *jeest zdjees pabliezastie taĝzjə ...?*
– zwembad	• Есть здесь поблизости также бассейн? *jeest zdjees pabliezastie taĝzjə baseejn?*
– zandstrand	• Есть здесь поблизости также песочный пляж? *jeest zdjees pabliezastie taĝzjə pjəsotsjny pljasj?*
– naaktstrand	• Есть здесь поблизости также пляж нудистов? *jeest zdjees pabliezastie taĝzjə pljasj noediestaf?*
– aanlegplaats voor boten	• Есть здесь поблизости также пристань для лодок? *jeest zdjees pabliezastie taĝzjə priestan dlja lodak?*

Zijn er hier ook rotsen?
• Здесь есть скалы?
zdjees jeest skaly?

Wanneer is het vloed/eb?
• Когда прилив/отлив?
kağda prielief/atlief?

Wat is de temperatuur van het water?
• Какова температура воды?
kakawa tjempəratoera wady?

Is het hier (erg) diep?
• Здесь (очень) глубоко?
zdjees (otsjən) ğloebako?

Kan je hier staan?
• Здесь можно стоять?
zdjees mozjna stajat?

Is het hier veilig zwemmen (voor kinderen)?
• Здесь безопасно (для детей)?
zdjees bjezapasna (dlja djətjeej)?

Zijn er stromingen?
• Есть ли течение?
jeest lie tjətsjeeniejə?

Heeft deze rivier stroomversnellingen/watervallen?
• На этой реке есть стремнины/водопады?
na etəj rəkje jeest stramnieny/wadapady?

Wat betekent die vlag/boei daar?
• Что означает этот флаг/буй?
sjto aznatsjajət etat flak/boej?

Is er hier een badmeester die een oogje in het zeil houdt?
• Здесь есть спасательный работник, который за всем присматривает?
zdjees jeest spasatjəlny rabotniek, kutory za fs-jem priesmatriewajət?

Mogen hier honden komen?
• Собакам сюда можно?
sabakam soeda mozjna?

Mag je hier kamperen op het strand?
• Можно поставить палатку на пляже?
mozjna pastawiet palatkoe na pljazjə?

Mag je hier een vuurtje stoken?
• Можно здесь разжечь костёр?
mozjna zdjees razjeetsj kastjor?

Место для рыбной ловли Viswater	Запрещено купаться Verboden te zwemmen
Опасно! Gevaar	Запрещено заниматься сёрфингом Verboden te surfen
Только с разрешением Alleen met vergunning	Запрещено ловить рыбу Verboden te vissen

12.3 In de sneeuw

Kan ik hier skiles nemen?
- Здесь можно взять уроки по катанию на (горных)лыжах?
zdjees mozjna wz-jat oerokie pa kataniejoe na (ĝornych) lyzjach?

voor beginners/(half-) gevorderden
- Для начинающих/(полу)продвинутых
dlja natsjienajoessjiech/ (paloe)pradwienoetych

Hoe groot zijn de groepen?
- Сколько человек в группах?
skolka tsjəlawjek w ĝroepach?

In welke taal wordt er les gegeven?
- На каком языке уроки?
na kakom jəzykje oerokie?

Moet ik een pasfoto inleveren?
- Нужна ли фотография для паспорта?
noezjna lie fotoĝrafieja dlja pasparta?

Waar kan ik een pasfoto laten maken?
- Где можно сфотографироваться?
ĝdje mozjna sfotoĝrafierawatsə?

Zijn er langlaufloipes in de buurt?
- Здесь есть поблизости лыжные трассы?
zdjees jeest pabliezastie lyzjnyjə trasy?

Zijn de langlaufloipes aangegeven?
- Лыжные трассы указаны?
lyzjnyjə trasy oekazany?

13 Ziek

13.1 De dokter (laten) roepen

Wilt u a.u.b. snel een dokter bellen/halen?	• Позвоните/найдите скорее врача, пожалуйста *pazwanietjə/najdietjə skareejə wratsja, pazjalsta*
Wanneer heeft de dokter spreekuur?	• Когда у врача приём? *kaĝda oe wratsja priejom?*
Wanneer kan de dokter komen?	• Когда врач может прийти? *kaĝda wratsj mozjət prietie?*
Kunt u voor mij een afspraak bij de dokter maken?	• Назначите для меня приём у врача, пожалуйста *naznatsjietjə dlja mjənja priejom oe wratsja, pazjalsta*
Ik heb een afspraak met de dokter om ... uur	• Мне к врачу к ... часам *mnje k wratsjoe k ... tsjəsam*
Welke dokter/apotheek heeft nachtdienst/weekenddienst?	• Какой врач/какая аптека работает ночью/в выходные? *kakoj wratsj/kakaja aptjeka rabotajət notsjoe/w wychadnyjə?*

13.2 Klachten van de patiënt

Ik voel me niet goed	• Я себя плохо чувствую *ja səbja plocha tsjoestwoejoe*
Ik ben duizelig	• У меня кружится голова *oe mjənja kroezjytsə ĝalawa*
– ziek	• Я болен (больна) *ja boljən (balna)*
– misselijk	• Меня тошнит *mjənja tasjniet*
– verkouden	• Я простудился (простудилась) *ja prastoedielsə (prastoedielas)*
Ik heb hier pijn	• У меня здесь болит *oe mjənja zdjees baliet*

Ik heb overgegeven	• Меня стошнило *mjənja stasjnielo*
Ik heb last van ...	• У меня болит ... *oe mjənja baliet*
Ik heb ... graden koorts	• У меня температура ... градусов *oe mjənja tjempəratoera ... ĝradoesaf*
Ik ben gestoken door een wesp	• Меня укусила оса *mjənja oekoesiela asa*
– insekt	• Меня укусило насекомое *mjənja oekoesielo nasəkomajə*
Ik ben gebeten door een hond	• Меня укусила собака *mjənja oekoesiela sabaka*
– kwal	• Меня ужалила медуза *mjənja oezjaliela mjədoeza*
– slang	• Меня ужалила змея *mjənja oezjaliela zmeeja*
– beest	• Меня укусил зверь *mjənja oekoesiel zweer*
Ik heb me gesneden	• Я порезался (порезалась) *ja parjezalsə (parjezalas)*
– gebrand	• Я обжёгся (обожглась) *ja abzjoksə (abazjĝlas)*
Ik heb mijn ... geschaafd	• Я ободрал (ободрала)... *ja abadral (abadrala) ...*
Ik ben gevallen	• Я упал(а) *ja oepal(a)*
Ik heb mijn enkel verzwikt	• Я вывихнул(а) щиколотку *ja wywiechnoel(a) ssjiekalatkoe*

13.3 Het consult

На что жалуетесь?	Wat zijn de klachten?
Как долго вы на это жалуетесь?	Hoelang heeft u deze klachten al?
У вас уже было подобное раньше?	Heeft u deze klachten al eerder gehad?
Какая у вас температура?	Hoeveel graden koorts heeft u?
Разденьтесь пожалуйста	Kleedt u zich uit a.u.b.
Разденьтесь до пояса, пожалуйста	Kunt u uw bovenlijf ontbloten?

Вы можете там раздеться	U kunt zich daar uitkleden
Обнажите левую/правую руку, пожалуйста	Kunt u uw linkerarm/rechterarm ontbloten?
Лягте здесь, пожалуйста	Gaat u hier maar liggen
Больно?	Doet dit pijn?
Дышите глубоко	Adem diep in en uit
Откройте рот	Doe uw mond open

Voorgeschiedenis van de patiënt

Ik ben suikerpatiënt	• У меня диабет *oe mjənja die-abjet*
– hartpatiënt	• У меня больное сердце *oe mjənja balnojə sertsə*
– astmapatiënt	• У меня астма *oe mjənja astma*
Ik ben allergisch voor ...	• У меня аллергия на ... *oe mjənja aljərĝieja na ...*
Ik ben ... maanden zwanger	• Я на ... месяце беременности *ja na ... meesətsə bjəreemjənastie*
Ik ben op dieet	• Я на диете *ja na die-eetjə*
Ik gebruik medicijnen/ de pil	• Я принимаю лекарства/ противозачаточные таблетки *ja prieniemajoe ljəkarstwa/ pratiewazatsjatatsjnyjə tabljetkie*
Ik heb al eerder een hartaanval gehad	• У меня уже был раньше приступ сердца *oe mjənja oezje byl ransjə priestoep sertsa*
Ik ben geopereerd aan...	• Я (про)оперирован(а) на ... *ja (pra-)apjərierawan(a) na ...*
Ik ben pas ziek geweest	• Я только что переболел(а) *ja tolka sjto pjerəbaljel (a)*
Ik heb een maagzweer	• У меня язва желудка *oe mjənja jazwa zjəloetka*
Ik ben ongesteld	• У меня менструация *oe mjənja menstroe-atsieja*

У вас аллергия на что-нибудь?	Bent u ergens allergisch voor?
Принимаете лекарства?	Gebruikt u medicijnen?
Вы на диете?	Volgt u een dieet?

Вы беременны?	Bent u zwanger?
Вам делали прививку от столбняка?	Bent u ingeënt tegen tetanus?

De diagnose

Ничего серьёзного	Het is niets ernstigs
Вы сломали ...	U heeft uw ... gebroken
Вы ушибли ...	U heeft uw ... gekneusd
Вы порвали ...	U heeft uw ... gescheurd
У вас воспаление	U heeft een ontsteking
У вас аппендицит	U heeft een blindedarmontsteking
У вас бронхит	U heeft een bronchitis
У вас венерическая болезнь	U heeft een geslachtsziekte
У вас грипп	U heeft griep
У вас был сердечный приступ	U heeft een hartaanval gehad
У вас (вирусная, бактериологическая) инфекция	U heeft een infectie (virus-, bacterie-)
У вас воспаление лёгких	U heeft een longontsteking
У вас язва желудка	U heeft een maagzweer
Вы растянули мышцу	U heeft een spier verrekt
У вас инфекция во влагалище	U heeft een vaginale infectie
У вас пищевое отравление	U heeft een voedselvergiftiging
У вас солнечный удар	U heeft een zonnesteek
У вас аллергия на ...	U bent allergisch voor
Вы беременны	U bent zwanger
Я хочу исследовать вашу кровь/мочу/кал	Ik wil uw bloed/urine/ontlasting laten onderzoeken
Необходимо зашить	Het moet gehecht worden
Я вас направляю к специалисту/ в больницу	Ik stuur u door naar een specialist/het ziekenhuis
Нужно сделать снимки	Er moeten foto's gemaakt worden
Подождите, пожалуйста, снова в приёмной	U moet weer even in de wachtkamer gaan zitten
Необходима операция	U moet geopereerd worden

Is het besmettelijk
- Это заразно?
  eto zarazno?

Hoelang moet ik ... blijven?
- Сколько мне придётся пробыть ...?
  skolka mnje priedjotsə prabyt ...?

– in bed	• Сколько мне придётся пробыть в постели? *skolka mnje priedjotsə prabyt w pastjeelie?*
– in het ziekenhuis	• Сколько мне придётся пробыть в больнице? *skolka mnje priedjotsə prabyt w balnietsə?*
Moet ik me aan een dieet houden	• Мне нужно сесть на диету? *mnje noezjna seest na die-etoe?*
Mag ik reizen?	• Мне можно путешествовать? *mnje mozjna poetjəsjestwawat?*
Kan ik een nieuwe afspraak maken?	• Можно с вами договориться на следующий раз? *mozjna s wamie daĝawarietsə na sledoejoessjie ras?*
Wanneer moet ik terugkomen?	• Когда мне снова прийти? *kaĝda mnje snowa prietie?*
Ik kom morgen terug	• Я приду завтра снова *ja priedoe zaftra snowa*

Вы должны снова прийти завтра/через ...дней	U moet morgen/ over ... dagen terugkomen

13.4 Recept en voorschriften

Hoe moet ik deze medicijnen innemen?	• Как принимать это лекарство? *kak prieniemat eto ljəkarstwo?*
Hoeveel capsules/druppels/injecties/lepels tabletten per keer?	• Сколько капсул/капель/уколов/ложек/таблеток за раз? *skolka kapsoel/kapjəl/oekolaf/lozjək/tabljetak za ras?*
Hoeveel keer per dag?	• Сколько раз в день? *skolka ras w djeen?*
Ik heb mijn medicijnen vergeten. Thuis gebruik ik ...	• Я забыл(а) лекарства. Дома я принимаю ... *ja zabyl(a) ljəkarstwa. doma ja prieniemajoe ...*
Kunt u voor mij een recept uitschrijven?	• Напишите, пожалуйста, для меня рецепт *napiesjytjə, pazjalsta, dlja mjənja rətsept*

Я вам прописываю антибиотики/микстуру успокаивающее средство/ болеутоляющие средства	Ik schrijf u antibiotica/een drankje/een kalmeringsmiddel/ pijnstillers voor
Необходим покой	U moet rust houden
Вам нельзя выходить на улицу	U mag niet naar buiten
Вы должны оставаться в постели	U moet in bed blijven

в течение ... дней gedurende ... dagen	... раз в сутки ... maal per etmaal
завершить лечение de kuur afmaken	растворить в воде oplossen in water
каждые ... часов om de ... uur	столовые/чайные ложки lepels (eet-/thee-)
капли druppels	таблетки tabletten
капсулы capsules	только для наружного употребления alleen voor uitwendig gebruik
мазать insmeren	уколы injecties
мазь zalf	целиком проглатывать in zijn geheel doorslikken
перед едой voor elke maaltijd	эти лекарства влияют на способность управлять машиной deze medicijnen beïnvloeden de rijvaardigheid
принимать innemen	

13.5 De tandarts

Weet u een goede tandarts?

• Вы не знаете хорошего зубного врача?
wy nje znajətjə charosjəwa zoebnowa wratsja?

Kunt u voor mij een afspraak maken bij de tandarts? Er is haast bij

• Назначите для меня приём у зубного врача, пожалуйста. Мне нужно срочно.
naznatsjytjə dlja mjənja priejom oe zoebnowa wratsja, pazjalsta. mnje noezjna srotsjna

Kan ik a.u.b. vandaag nog komen?	• Мне можно прийти (прямо) сегодня? *mnje mozjna prietie (prjama) səwodnjə?*
Ik heb (vreselijke) kies/ pijn/tandpijn	• У меня (ужасно) болит зуб *oe mjənja (oezjasna) baliet zoep*
Kunt u een pijnstiller voorschrijven/geven?	• Вы можете мне прописать/дать болеутоляющее? *wy mozjətjə mnje prapiesat/dat boljə-oetaljajoessjəjə?*
Er is een stuk van mijn tand/kies afgebroken	• У меня отломился кусочек зуба *oe mjənja atlamielsə koesotsjək zoeba*
Mijn vulling is eruit gevallen	• У меня выпала пломба *oe mjənja wypala plomba*
Mijn kroon is afgebroken	• У меня сломалась коронка *oe mjənja slamalas karonka*
Ik wil wel/niet plaatselijk verdoofd worden	• Я хочу/не хочу местный наркоз *ja chatsjoe/nje chatsjoe mjestny narkos*
Kunt u me nu op proviso-rische wijze helpen?	• Вы можете мне временно помочь? *wy mozjətjə mnje wreemjəna pamotsj?*
Ik wil niet dat deze kies getrokken wordt	• Не вырывайте этот зуб *nje wyrywajtjə etat zoep*
Mijn kunstgebit is ge broken. Kunt u het repareren?	• Мой протез сломан. Вы можете его починить? *moj pratjes sloman. wy mozjətjə jəwo patsjieniet?*

Какой зуб болит?	Welke tand/kies doet pijn?
У вас нарыв	U heeft een abces
Нужно обработать нерв	Ik moet een zenuwbehandeling doen
Я сделаю местный наркоз	Ik ga u plaatselijk verdoven
Нужно этот ... запломбировать/ вырвать/обточить	Ik moet deze … vullen/trekken/ afslijpen
Нужно сверлить	Ik moet boren
Откройте рот	Mond open
Закройте рот	Mond dicht
Прополощите	Spoelen
Всё ещё болит?	Voelt u nog pijn?

14 In moeilijkheden

14.1 Om hulp vragen

Help!	• Помогите! *pamaĝietjə!*
Brand!	• Пожар! *pazjar!*
Politie!	• Милиция! *mielietsieja!*
Snel!	• Быстро! *bystra!*
Gevaar!	• Опасно! *apasna!*
Pas op!	• Осторожно! *astarozjna!*
Stop!	• Стоп! *Stop!*
Voorzichtig!	• Осторожно! *astarozjna!*
Niet doen!	• Не надо! *nje nada!*
Laat los!	• Отпустите! *atpoestietjə!*
Houd de dief!	• Держи вора! *djərzjy wara!*
Wilt u me helpen?	• Помогите, пожалуйста *pamaĝietjə, pazjalsta*
Waar is het politiebureau bureau/ de nooduitgang/ de brandtrap?	• Где отделение милиции? /где запасной выход?/где пожарная лестница? *ĝdje adjəleeniejə mielietsie-ie?/ĝdje zapasnoj wychat?/pazjarnaja leesnietsa?*
Waar is een brandblus-apparaat?	• Где огнетушитель? *ĝdje aĝnjətoesjytjəl?*
Waarschuw de brand-weer!	• Предупредите пожарную команду! *prədoeprədietjə pazjarnoejoe kamandoe!*
Bel de politie	• Позвоните в милицию! *pazwanietjə w mielietsiejoe!*
Waarschuw een zieken-auto	• Вызовите скорую помощь! *wyzawietjə skoroejoe pomassj!*
Waar is een telefoon?	• Где телефои? *ĝdje tjeləfon?*

Mag ik uw telefoon gebruiken?
• Можно позвонить по вашему телефону?
mozjna pazwaniet pa wasjəmoe tjeləfonoe?

Wat is het telefoonnummer van de politie?
• Какой телефон вызова милиции?
kakoj tjeləfon wyzawa mielietsie-ie?

14.2 Verlies

Ik ben mijn portemonnee/portefeuille verloren
• Я потерял(а) кошелёк/бумажник
ja patjərjal(a) kasjəljok/boemazjniek

Ik ben gisteren mijn ... vergeten
• Я вчера забыл(а) ...
ja ftsjəra zabyl(a) ...

Ik heb hier mijn ... laten liggen/staan
• Я здесь оставил(а) ...
ja zdjees astawiel(a)

Heeft u mijn ... gevonden?
• Вы не находили ...?
wy nje nachadielie ...?

Hij stond/lag hier
• Он стоял/лежал здесь
on stajal/ljəzjal zdjees

Het is zeer kostbaar
• Это очень ценная вещь
eto otsjən tsenaja weessj

Waar is het bureau gevonden voorwerpen?
• Где бюро находок?
ĝdje bjoero nachodak?

14.3 Ongelukken

Er is een ongeluk gebeurd
• Произошёл несчастный случай
pra-iezasjol njəssjastny sloetsjaj

Er is iemand in het water gevallen
• Человек упал в воду
tsjəlawjek oepal w wodoe

Er is brand
• Пожар
pazjar

Is er iemand gewond?
• Кто-нибудь ранен?
ktonieboet ranjən?

Er zijn (geen) gewonden
• Есть раненные (нет раненных)
jeest ranjənyjə (njet ranjənych)

Er zit nog iemand in de auto/trein
• Ещё кто-то остался в машине/поезде
jəssjo ktota astalsə w masjynjə/pojəzdjə

Het valt wel mee. Maakt u zich geen zorgen
• Ничего страшного. Не беспокойтесь
nietsjəwo strasjnawa. nje bjəspakojtjəs

Wilt u geen veranderingen aanbrengen?
• Ничего не трогайте
nietsjəwo nje troĝajtjə

Ik wil eerst met de politie praten
• Я хочу сначала поговорить с милицией
ja chatsjoe snatsjala paĝawariet s mielietsiejəj

Ik wil eerst een foto nemen
• Я хочу сначала сфотографировать
ja chatsjoe snatsjala sfotoĝrafierawat

Hier heeft u mijn naam en adres
• Вот моя фамилия и адрес
wot maja famielieja ie adrəs

Mag ik uw naam en adres weten?
• можно вашу фамилию и адрес?
mozjna wasjoe famieliejoe ie adrəs?

Mag ik uw identiteitsbewijs/verzekeringspapieren zien?
• Можно ваше удостоверение личности?/Можно вашу страховку?
mozjna wasjə oedastawjəreeniejə lietsjnastie?/mozjna wasjoe strachofkoe?

Wilt u getuige zijn?
• Вы хотите быть свидетелем?
wy chatietjə byt swiedjeetjələm?

Ik moet de gegevens weten voor de verzekering
• Мне нужны данные для страховки
mnje noezjny danyjə dlja strachofkie

Bent u verzekerd?
• Вы застрахованы?
wy zastrachowany?

Wilt u hier uw handtekening zetten?
• Распишитесь здесь, пожалуйста
raspiesjytjəs zdjees pazjalsta

14.4 Diefstal

Ik ben bestolen
• Меня обокрали
mjənja abakralie

Mijn ... is gestolen
• Мой ... украден
moj … oekradjən

Mijn auto is opengebroken
• Моя машина взломана
maja masjyna wzlomana

14.5 Er is iemand zoek

Ik ben mijn kind/oma kwijt
• Я потерял(а) ребёнка/бабушку
ja patjərjal(a) rəbjonka baboesjkoe

Wilt u mij helpen zoeken?
• Вы мне поможете искать?
wy mnje pamozjətjə ieskat?

Heeft u een klein kind gezien?	• Вы не видели ребнёнка? *wy nje wiedjəlie rəbjonka?*
Hij/zij is ... jaar	• Ему/ей ... лет *jəmoe/jej ... let*
Hij/zij heeft kort/lang/ blond/rood/bruin/zwart/ grijs/krullend/steil/ kroezend haar	• У него/неё короткие/длинные/светлые /рыжие/каштановые/тёмные/седые/ кудрявые/прямые/вьющиеся волосы *oe njəwo/njəjo karotkiejə/ dlienyjə/ swetlyjə/ryzjyjə/kasjtanawyjə/tjomnyjə/ sədyjə/koedrjawyjə/prəmyjə/ wjoessjiejəsə wolasy*
met een paardestaart	• С хвостиком *s chwostiekam*
met vlechten	• С косичками *s kasietsjkamie*
Met een knotje	• С пучком *s poetsjkom*
De ogen zijn blauw/ bruin/groen	• Глаза голубые/карие/зелёные *ĝlaza ĝaloebyjə/kariejə/zəljonyjə*
Hij draagt een zwem- broekje/bergschoenen	• На нём плавки/горные ботинки *na njom plafkie/ĝornyjə batienkie*
Met /zonder bril, met/ zonder tas	• В очках/без очков, с сумкой/без сумки *w atsjkach/bjes atsjkof, s soemkəj/bjes soemkie*
groot/klein	• Большой (большая)/маленький (маленькая) *balsjoj (balsjaja)/maljənkie (maljənkaja)*
Dit is een foto van hem/ haar	• Вот его/её фотография *wot jəwo/jəjo fotoĝrafieja*
Hij/zij is zeker verdwaald	• Он/она скорее всего заблудился/ заблудилась *on/ana skareejə fsəwo zabloedielsə/zabloedielas*

14.6 De politie

Een aanhouding

Ваши документы на машину, пожалуйста	Uw autopapieren a.u.b.
Вы превысили скорость	U reed te hard
Вы неправильно припарковались	U staat fout geparkeerd
У вас не работают фары	Uw lichten doen het niet
С вас штраф ...	U krijgt een boete van ...
Вы можете сразу заплатить?	Wilt u direct betalen?
Вам нужно сразу заплатить	U moet direct betalen

Ik spreek geen Russisch	• Я не говорю по-русски *ja nje ĝawarjoe pa roeskie*
Ik heb dat bord niet gezien	• Я не видел(а) этого знака *ja nje wiedjəl(a) etawa znaka*
Ik begrijp niet wat daar staat	• Я не понимаю, что там написано *ja nje paniemajoe, sjto tam napiesana*
Ik reed maar ... km per uur	• Я ехал(а) всего ... километров в час *ja jechal(a) fsəwo ... kielamjetraf w tsjas*
Ik zal mijn auto laten nakijken	• Я отдам проверить машину *ja adam praweeriet masjynoe*
Ik werd verblind door een tegenligger	• Меня ослепил встречный свет *mjənja asljəpiel fstreetsjny swet*

Op het politiebureau

Где это случилось?	Waar is het gebeurd?
Что вы потеряли?	Wat bent u kwijt?
Что украдено?	Wat is er gestolen?
Можно ваше удостоверение личности?	Mag ik uw identiteitsbewijs?
Когда это произошло?	Hoe laat is het gebeurd?
Кто при этом присутствовал?	Wie waren erbij betrokken?
Свидетели есть?	Zijn er getuigen?
Заполните, пожалуйста	Wilt u dit invullen?
Подпишите здесь, пожалуйста	Hier tekenen a.u.b.
Вам нужен переводчик?	Wilt u een tolk?

Ik kom aangifte doen van een botsing/een vermissing/een verkrachting	• Я хочу сообщить об аварии/о потере/об изнасиловании *ja chatsjoe sa-apssjiet ap awarie-ie/a patjeerjə/ap ieznasielawanie-ie*
Wilt u een proces-verbaal opmaken?	• Составьте протокол, пожалуйста *sastaftjə pratakol, pazjalsta*
Mag ik een afschrift voor de verzekering?	• Можно справку для страховки? *mozjna sprafkoe dlja strachofkie?*
Ik ben alles kwijt	• Я всё потерял(а) *ja fs-jo patjərjal(a)*
Mijn geld is op, ik ben radeloos	• У меня кончились деньги, я совершенно растерян(а) *oe mjənja kontsjielies djeenĝie, ja sawjərsjenna rastjeerjən(a)*
Kunt u mij wat geld lenen?	• Вы не можете мне дать взаймы? *wy nje mozjətjə mnje dat wzajmy?*
Ik wil graag een tolk	• Мне нужен переводчик *mnje noezjən pjerəwotsjiek*
Ik ben onschuldig	• Я не виноват(а) *ja nje wienawat(a)*
Ik weet nergens van	• Я ничего не знаю *ja nietsjəwo nje znajoe*
Ik wil spreken met iemand van –	• Я хочу говорить с кем-нибудь из - *ja chatsjoe ĝawariet s kjemnieboet ies …*
– het Nederlandse/Belgische consulaat	• Я хочу говорить с кем-нибудь из консульства Нидерландов/Бельгии *ja chatsjoe ĝawariet s kjemnieboet ies konsoelstwa niedjərlandaf/bjeelĝie-ie*
– de Nederlandse/Belgische ambassade	• Я хочу говорить с кем-нибудь из посольства Нидерландов/Бельгии *ja chatsjoe ĝawariet s kjemnieboet ies pasolstwa niedjərlandaf/bjeelĝie-ie*
Ik wil een advokaat die… spreekt	• Мне нужен адвокат, который говорит по - *mnje noezjən adwakat, katory ĝawariet pa …*

Woordenlijst Nederlands - Russisch

Deze woordenlijst is bedoeld als aanvulling op de hoofdstukjes hiervoor. De nummers achter het woord verwijzen naar de paragraaf met de belangrijkste zinnen waarin u deze woorden kunt gebruiken. In een aantal gevallen kunt u woorden die in deze lijst ontbreken elders in het boekje vinden, namelijk bij de illustraties van de auto, de fiets en de tent. Veel etenswaren kunt u vinden in de Russische -Nederlandse lijst in 4.7.
Een # achter de vertaling wil zeggen dat het niet zo veel zin heeft om naar het betreffende artikel te vragen. Het is onbekend of niet verkrijgbaar.
Gebruikte afkortingen: zn = zelfstandig naamwoord, bn = bijvoeglijk naamwoord, ww = werkwoord, mv = meervoud. Bij bijvoeglijke naamwoorden wordt de mannelijke vorm gegeven; soms is tussen haakjes de vrouwelijke vorm toegevoegd.

A

aanbevelen *4.2*	рекомендовать	*rəkamjəndawat*
aanbieden *3.6*	предложить	*prədlazjyt*
aangebrand *4.4*	пригорелый	*prieĝarjely*
aangenaam *2.1*	приятный	*priejatny*
aangetekend *9.1*	заказной	*zakaznoj*
aangeven (bij douane) *5.1*	предъявить на таможне	*predjəwiet na tamozjnjə*
aankomen (lopend/ rijdend) *6.1*	прийти/приехать	*prietie/priejechat*
aanranding *14.6*	попытка к изнасилованию	*papytka k ieznasielawaniejoe*
aanrijding	несчастный случай	*njəssjastny sloetsjaj*
aansteker	зажигалка	*zazjyĝalka*
aanwezig	присутствующий	*priesoetstwoejoessjie*
aanwijzen	показать	*pakazat*
aardappel	картофель	*kartofjəl*
aardbeien	клубники	*kloebniekie*
aardbeien wilde	земляники	*zemljəniekie*
aarde (grond)	земля	*zəmlja*
aardewerk *10*	посуда	*pasoeda*
aardig *2.6, 3.8*	милый	*miely*

aartsbisschop	архиепископ	*archiejəpieskap*
abonneenummer *9.2*	номер телефона	*nomjər tjeləfona*
abrikoos	абрикос	*abriekos*
accu *5.6*	аккумулятор	*akoemoeljatar*
achter *1.6*	за	*za*
achterin *6.3*	сзади	*zzadie*
achternaam *1.8*	фамилия	*famielieja*
achteruitrijden *6*	ехать задним ходом	*jechat zadniem chodam*
adder *13.2*	гадюка	*ĝadjoeka*
ader *13.2*	вена	*wjena*
adres *1.8, 3.11, 6.7*	адрес	*adrəs*
advies *4.2*	совет	*sawjet*
advocaat (jur.) *14.6*	адвокат	*adwakat*
afdeling *10.1*	отдел	*adjel*
afdruk *9.1, 14.3*	отпечаток	*atpjətsjatak*
afdrukken (foto) *10.4*	отпечатать	*atpjətsjatat*
afgesloten (rijweg) *5.3*	закрыт	*zakryt*
afrekenen *4.3, 7.5, 8.2*	рассчитаться	*rassjietatsə*
afscheid *3.11*	прощание	*prassjaniejə*
afscheiding (van vocht)	выделение	*wydjəleeniejə*
afschuwelijk *2.6*	отвратительный	*atwratietjəlny*
afspraak (bij arts) *13.1*	приём	*priejom*
afspraak (maken) *10.5*	назначить свидание	*naznatsjiet swiedaniejə*
afspraakje *3.7*	встреча	*fstreetsja*
afspreken *3.10*	договориться	*dagawarietsə*
afstand *6.4*	расстояние	*rastajaniejə*
aftershave	одеколон после бритья	*adjəkolon poslə brietja*
agent *14.1, 14.6*	милиционер	*mielietsie-anjer*
Aids *3.9*	СПИД	*spiet*
airconditioning *7.3*	кондиционер	*kandietsie-anjer*
akkoord	ладно	*ladna*
alarm *14.1*	тревога	*trəwoĝa*
alcohol *3.6, 13.4*	алкоголь	*alkaĝol*
allebei	оба	*oba*
alleen *3.1*	один (одна)	*adien(adna)*
allergisch *13.3*	аллергический	*aljərĝietsjəskie*
alles	всё	*fs-jo*
alstublieft *2.4*	пожалуйста	*pazjalsta*
altijd *3.4*	всегда	*fsəĝda*
ambassade *14.6*	посольство	*pasolstwo*
ambulance *13.1, 14.1*	скорая (помощь)	*skoraja (pomassj)*

A

ananas	ананас	*ananas*
andere (mv) *3.7*	другие	*droeĝiejə*
annuleren *6.4, 7.1*	аннулировать	*anoelierawat*
ansichtkaart *9.1, 11.1*	открытка	*atkrytka*
ansjovis *4.1*	анчоус	*antsjo-oes*
antibiotica *13.4*	антибиотик	*antiebie-otiek*
anticonceptiepil	противозачаточные таблетки	*pratiewazatsjatatsjnyjə tabljetkie*
antiek (bn) *10.1*	античный	*antietsjny*
antiek (zn) *10*	антикварная вещь	*antiekwarnaja weessj*
antivries *10.1*	антифриз	*antiefries*
antwoord *2.3*	ответ	*atwjet*
anus *13.2*	задний проход	*zadnie prachot*
aperitief *4.2, 4.7*	аперитив	*apjerietief*
apotheek *10, 13.1*	аптека	*aptjeka*
appartement *3.1, 7.3*	квартира	*kwartiera*
appel	яблоко	*jablaka*
appelmoes *4.6*	яблочный мусс	*jablatsjny moes*
appelsap *4.6, 4.7*	яблочный сок	*jablatsjny sok*
appeltaart *4.6*	пирог с яблоками	*pierok s jablakamie*
april *1.1*	апрель	*apreel*
architectuur *11.1*	архитектура	*archietjəktoera*
arm *13.2*	рука	*roeka*
armband *10.1, 14.2*	браслет	*brasljet*
artikel *10.1*	товар	*tawar*
artisjokken *4.6*	артишоки	*artiesjokie*
arts *13.1*	врач	*wratsj*
asbak *4.2*	пепельница	*pjeepjəlnietsa*
asperges	спаржа	*sparzja*
aspirine *13.4*	аспирин	*aspierien*
aubergine	баклажан	*baklazjan*
augustus *1.1*	август	*awĝoest*
auto *3.8, 6.3, 7.2*	машина	*masjyna*
autobus *6.1, 6.4*	автобус	*aftoboes*
autodek	автомобильная палуба	*aftamabielnaja paloeba*
automaat (machine) *8.1, 10.1*	автомат	*aftamat*
automaat (auto) *5.4*	автосцепка	*aftastsepka*
automatisch *8.1, 10.1*	автоматический	*aftamatietsjəskie*
autopapieren *14.6*	паспорт автомобиля	*paspart aftamabielja*
autoweg *5.3*	автострада	*aftastrada*
autozitje *5.8*	детское сидение для машины	*djetskajə siedjeeniejə djla masjyny*

avond	вечер	*weetsjər*
avondeten *7.3*	ужин	*oezjyn*
avondkleding *11.2*	вечерняя одежда	*wjətsjernjaja adjezjda*
avonds ('s)	вечером	*weetsjəram*

B

baby *4.1*	ребёнок	*rəbjonak*
baby-oppas *7.3*	няня	*njanja*
babyvoeding	детское питание	*djetskajə pietaniejə*
bad *7.3*	ванна	*wana*
badhanddoek	банное полотенце	*banajə palatjentsə*
badhokje	раздевалка	*razdjəwalka*
badkamer *7.3*	ванная	*wanaja*
badmeester *12.2*	инструктор	*ienstroektar*
badmuts *10.1, 12.2*	купальная шапочка	*koepalnaja sjapatsjka*
badpak	купальник	*koepalniek*
badschuim	пена для ванн	*pjena dlja wan*
bagage *5.2*	багаж	*baĝasj*
bagagedepot *5.2*	камера хранения багажа	*kamjəra chranjeenieja baĝazja*
bagagekluis *5.2*	багажный сейф	*baĝazjny seef*
bakker *10*	булочная	*boelatsjnaja*
bal *12.1*	мяч	*mjatsj*
balie *6.4*	окно	*akno*
balkon *7.3*	балкон	*balkon*
ballet *11.2*	балет	*baljet*
balpen	шариковая ручка	*sjariekawaja roetsjka*
banaan	банан	*banan*
bandenlichter	монтажная лопатка для шин	*mantazjnaja lapatka dlja sjyn*
bandenspanning *5.5*	давление воздуха в шинах	*dawleeniejə wozdoecha w sjynach*
bang	боязливый	*bajəzliewy*
bank *8.1*	скамейка	*skameejka*
banketbakker *10*	кондитер	*kandietjər*
bankpasje *8.1*	банковский паспорт#	*bankafskie paspart*
bar (café) *3.7*	бар	*bar*
bar (meubel)	бар	*bar*
barbecue *7.2*	барбекю	*barbekjoe*
basketballen *12.1*	играть в баскетбол	*ieĝrat w baskjətbol*
batterij *10.4*	батарейка	*batareejka*
bed *3.9, 13.3*	кровать	*krawat*

bedanken *2.4*	благодарить	*blaĝadariet*
bedankt *2.1, 2.4*	спасибо	*spasieba*
bediening *4.3*	обслуживание	*apsloezjywaniejə*
bedorven *4.4*	испорченный	*iesportsjəny*
bedrag *4.4, 8.2*	сумма	*soema*
beeld (stand-) *11.1*	памятник	*pamjətniek*
beeldhouwkunst	скульптура	*skoelptoera*
been	нога	*naĝa*
beestje (schadelijk) *6.4*	вредитель	*wrədietjəl*
beetje, een	немного	*njəmnoĝa*
begaanbaar *5.3*	проходимый	*prachadiemy*
beginnen *11.2*	начать	*natsjat*
beginner *12.3*	новичок	*nawietsjok*
begrijpen *14.6*	понять	*panjat*
begroeten *2.1*	здороваться	*zdarowatsə*
beha *10.3*	лифчик	*lieftsjiek*
behandeling (medisch) *13.5*	лечение	*ljətsjeeniejə*
beheerder *7.2*	заведующий	*zawjedoejoessjie*
bekeuring *14.6*	штраф	*sjtraf*
bekijken *6.4*	осматривать	*asmatriewat*
Belg *3.1*	бельгиец	*bjəlĝie-əts*
België *3.11*	Бельгия	*bjeelĝieja*
Belgische (zn) *3.1*	бельгийка	*bjəlĝiejka*
beneden *1.6*	внизу	*wniezoe*
benzine *5.5*	бензин	*bjənzien*
benzinestation *5.5*	бензостанция	*bjənzastantsija*
berg	гора	*ĝara*
berghut *11.1*	хижина в горах	*chiezjyna w ĝarach*
bergschoenen *14.5*	горные ботинки	*ĝornyjə batienkie*
bergsport	горнолыжный спорт	*ĝornalyzjny sport*
beroemd *11.1, 11.2*	знаменитый	*znamjəniety*
beroep *1.8*	профессия	*prafeesieja*
beschadigd *5.2*	повреждённый	*pawrəzjdjony*
besmettelijk *13.3*	заразный	*zarazny*
bespreekbureau *11.3*	билетная касса	*bieljetnaja kasa*
bespreken *11.3*	зарезервировать	*zarezərwierawat*
bestek *4.1, 10.1*	прибор	*priebor*
bestellen *4.2, 5.6*	заказать	*zakazat*
bestelling *4.2*	заказ	*zakas*
bestemming *5.1, 6.4*	назначение	*naznatsjeeniejə*
betalen *4.3, 6.2, 8.2*	платить	*platiet*
betekenen	значить	*znatsjiet*

beter *13.3*	лучше	*loetsjə*
betrouwbaar (apparaat)	надёжный	*nadjozjny*
betrouwbaar (persoon)	достоверный	*dastawjerny*
bevolking	население	*nasəleeniejə*
bewaring, in *5.2*	хранение, на	*chranjeeniejə, na*
bewijs (van betaling) *8.2*	справка (об уплате)	*sprafka (ap oeplatjə)*
bezet *6.1, 6.6*	занятый	*zanjəty*
bezichtigen *11.1*	осмотреть	*asmatreet*
bezienswaardigheid *11.1*	достопримечательность	*dastapriemjətsjatjəlnast*
bezoeken *11.1*	посетить	*pasətiet*
bibliotheek	библиотека	*bieblie-atjeka*
bier *4.7*	пиво	*piewo*
biet, rode	свёкла	*swjokla*
bij (dier) *13.2*	пчела	*ptsjəla*
bijl *1.6*	топор	*tapor*
bijpunten *10.5*	подстричь	*patstrietsj*
bijten *13.2*	укусить	*oekoesiet*
bijvullen *5.5*	дополнить	*dapolniet*
bijzonder *4.5*	особенный	*asobjəny*
bikini *10.3, 12.2*	бикини	*biekienie*
biljarten	играть в бильярд	*ieĝrat w bieljart*
binnen *1.6, 4.1, 13.3*	внутри	*wnoetrie*
binnenband *5.6*	камера шины	*kamjəra sjyny*
binnenland, in het *6.4*	внутри страны	*wnoetrie strany*
biscuit *10.2*	бисквит	*bieskwiet*
bitter *4.4*	горький	*ĝorkie*
blaar *13.2*	волдырь	*waldyr*
blauw	синий	*sienie*
blij *2.6*	рад(рада)	*rat (rada)*
blijven *3.1, 7.1, 11.1*	остаться	*astatsə*
blik *10.2*	банка	*banka*
bliksem	молния	*molnieja*
blocnote (ruitjes, lijntjes)	блокнот (в клетку, в линейку)	*blaknot (w kljetkoe, w lieneejkoe)*
bloed *13.3*	кровь	*krof*
bloeddruk *13.3*	давление крови	*dawleeniejə krowie*
bloedneus *3.2*	кровотечение из носа	*krawatjətsjeeniejə ies nosa*
bloemkool	цветная капуста	*tswətnaja kapoesta*
blond *14.5*	белокурый	*bjelakoery*

blonderen *10.5*	обесцветить	*abjəstsweetiet*
bloot *12.2*	голый	*ĝoly*
blouse *10.3*	блуза	*bloeza*
bodymilk	молочко	*malatsjko*
boei *12.2*	буй	*boej*
boek *10.1*	книга	*knieĝa*
boekhandel *10*	книжный магазин	*kniezjny maĝazien*
boer	крестьянин	*krəstjanien*
boerderij	ферма	*fjerma*
boerin	крестьянка	*krəstjanka*
bon (kwitantie) *5.1*	квитанция	*kwietantsieja*
bonbon	конфета	*kanfjeta*
bonen (witte-) *4.6, 10.1*	бобы (белые-)	*baby (bjelyjə-)*
boodschap (bericht) *7.3, 9.1*	сообщение	*sa-apssjeeniejə*
boodschappen doen *10.1*	делать покупки	*djelat pakoepkie*
boord aan	борт, на	*bort, na*
boos *2.6*	сердитый	*sərdiety*
boot	лодка	*lotka*
bord (op straat) *5.3*	дорожный знак	*darozjny znak*
bord *4.2*	тарелка	*tarjelka*
borgsom *5.8, 7.5, 8.2, 12.1*	залог	*zalok*
borrel *4.1, 4.2*	спиртной напиток	*spiertnoj napietak*
borst	грудь	*ĝroet*
borstel *10.1*	щётка	*ssjotka*
bot (niet scherp)	тупой	*toepoj*
botanische tuin	ботанический сад	*batanietsjəskie sat*
boter *4.7*	масло	*maslo*
botsing *14.6*	столкновение	*stalknaweeniejə*
bouillon *4.6*	бульон	*boeljon*
boven *1.6, 6.3*	наверху	*nawjərchoe*
bowlen	играть в кегли	*ieĝrat w kjeĝlie*
braken; ik moet braken *13.2*	меня рвёт	*mjənja rwjot*
brand *14.3*	пожар	*pazjar*
brandblusapparaat *7.3, 14.1*	огнетушитель	*aĝnjətoesjytjəl*
branden *13.2*	гореть	*ĝareet*
brandtrap *7.3, 14.1*	пожарная лестница	*pazjarnaja leesnietsa*
brandweer *14.1*	пожарная команда	*pazjarnaja kamanda*
brandwond *13.2*	ожог	*azjok*

brandzalf *10.1*	мазь от ожога	*mas at azjoĝa*
breien *3.5*	вязать	*wjəzat*
breken (been) *13.3*	сломать (ногу)	*slamat (noĝoe)*
brengen *3.11, 6.6*	принести	*prienjəstie*
brief *9.1*	письмо	*piesmo*
briefkaart *9.1*	открытка	*atkrytka*
briefpapier *9.1, 10.1*	почтовая бумага	*patsjtowaja boemaĝa*
brievenbus *9.1*	почтовый ящик	*patsjtowy jassjiek*
bril	очки (mv)	*atsjkie*
brochure *11.1*	брошюра	*brasjoera*
broek (korte)	шорты (mv)	*sjorty*
broek (lange)	брюки (mv)	*brjoekie*
broekje (slipje) *10.1*	трусы (mv)	*troesy*
broekrok *10.3*	юбка-брюки	*joepka-brjoekie*
broer *3.1*	брат	*brat*
brommer *5.6*	мопед	*mapjet*
bron	источник	*iestotsjniek*
brood *4.2*	хлеб	*chljep*
broodje (ongesmeerd) *4.7*	булочка	*boelatsjka*
broodje (gesmeerd) *4.7*	булочка (с маслом)	*boelatsjka (s maslam)*
brug	мост	*most*
bruiloft *3.2*	свадьба	*swadba*
bruin	коричневый	*karietsjnjəwy*
brussels lof *4.6, 10.2*	брюссельский лоф	*brjoeseelskie lof*
buik *13.3*	живот	*zjywot*
buikpijn: hij heeft buikpijn *13.2*	у него болит живот	*oe njəwo baliet zjywot*
buiten (voorzetsel) *1.6, 4.1, 13.4*	вне	*wnje*
buitenband *5.7*	покрышка (шины)	*pakrysjka (sjyny)*
buitenland *9.2*	заграница	*zaĝranietsa*
buitenlands	иностранный	*ienastrany*
buren *7.4*	соседи	*saseedie*
burgemeester	мэр	*mer*
bus (auto-) *6.1*	автобус	*aftoboes*
bushalte *6.4*	остановка автобуса	*astanofka aftoboesa*
businessclass *6.3*	бизнескласс	*bieznjəsklas*
busje (bestel-) *5.8*	фургон	*foerĝon*
busstation *6.4*	автовокзал	*aftawaĝzal*

C

cadeau *10.1*	подарок	*padarak*
café *3.7*	кафе	*kafe*
cafeïne-vrij *4.7*	без кофеина	*bjes kafe-iena*
camera *10.4*	фотоаппарат	*foto-aparat*
camper *7.2*	кемпер	*kempjər*
camping *3.1, 7.2*	кемпинг	*kjempienk*
campinggas (propaan) *7.2*	пропан	*prapan*
campinggas(butaan) *4.1*	бутан	*boetan*
caravan *7.2*	караван	*karawan*
casino	казино	*kazieno*
cassette (foto) *10.4*	кассета	*kaseta*
cassette (muz.) *10.1*	кассета	*kaseta*
catalogus *1.1*	каталог	*katalok*
cd *10.1*	компакт-диск	*kompakt-diesk*
ceintuur *10.3*	пояс	*pojəs*
centimeter	сантиметр	*santiemjetr*
centrale verwarming *7.3*	центральное отопление	*tsəntralnajə atapleeniejə*
centrum *6.6*	центр	*tsentr*
champagne *4.2, 4.6, 10.2*	шампанское	*sjampanskajə*
chartervlucht *6.5*	чартерный рейс	*tsjartjərny reejs*
chauffeur *6.1*	шофёр	*sjafjor*
chef *4.4*	начальник	*natsjalniek*
cheque *8.1*	чек	*tsjek*
chips	чипсы	*tsjiepsy*
chocolade	шоколад	*sjakalat*
chocolademelk *4.7*	какао	*kaka-o*
circus *11.2*	цирк	*tsyrk*
cirkel	круг	*kroek*
citroen	лимон	*liemon*
cognac *4.2, 4.6, 10.2*	коньяк	*kanjak*
collega *3.1*	коллега	*kaljeĝa*
compliment *3.8, 4.5*	комплимент	*kampliemjent*
concert *11.2*	концерт	*kantsert*
concertgebouw *11.2*	концертный зал	*kantsertny zal*
condoom *3.9*	презерватив	*prezərwatief*
constipatie *13.2*	запор	*zapor*
consulaat *14.6*	консульство	*konsoelstwo*
consult *13.3*	консультация	*kansoeltatsieja*

contactlens	контактная линза	*kantaktnaja lienza*
contactlensvloeistof	жидкость для контактных линз	*zjytkast dlja kantaktnych liens*
contactsleutel *5.4*	ключ зажигания	*kljoetsj zazjyĝanieja*
controleren	проверить	*praweeriet*
correct *4.4, 9.2*	правильный	*prawielny*
corresponderen *3.11*	переписываться	*pjerəpiesywatsə*
couchette *6.3*	спальное место	*spalnajə mjesto*
coup *6.3*	причёска	*prietsjoska*
courgette	кабачок	*kabatsjok*
creditcard *8.1*	кредитная карточка	*krədietnaja kartatsjka*
crème	крем	*krjem*

D

daar *1.6*	там	*tam*
dag *1.1*	день	*djeen*
dag (hallo) *2.1*	здравствуйте	*zdrastwoejtjə*
dagmenu *4.2*	суточное меню	*soetatsjnajə mjənjoe*
dagschotel *4.2*	дежурное блюдо	*djəzjoernajə bljoedo*
dal	долина	*daliena*
damestoilet *3.2, 4.1*	женский туалет	*zjeenskie toe-aljet*
dammen *3.7*	играть в шашки	*ieĝrat w sjasjkie*
dank u wel *2.4*	спасибо	*spasieba*
dansen *2.6, 3.5, 3.7*	танцевать	*tantsəwat*
das (tegen de kou) *10.3*	шарф	*sjarf*
december *1.1*	декабрь	*djəkabr*
deken *7.3*	одеяло	*adjejalo*
denken *3.9*	думать	*doemat*
deodorant	деодорант	*de-adarant*
derde (het derde deel) *1.4*	треть	*treet*
dessert *4.6*	десерт	*djəsert*
deur *7.1*	дверь	*dweer*
dia *10.4*	слайд	*slajt*
diabeet *4.2*	диабетик	*die-abjeetiek*
diamant *10.1, 14.2*	алмаз	*almas*
diarree *13.2*	понос	*panos*
dicht *11.1*	закрытый	*zakryty*
dichtbij *1.6*	близкий	*blieskie*
dieet *4.2, 13.3*	диета	*die-eta*
dief *14.1*	вор	*wor*

diefstal *14.4*	кража	*krazja*
dienstregeling *6.4*	расписание	*raspiesaniejə*
diep *12.2*	глубокий	*ĝloebokie*
diepvries *10.2*	замороженный	*zamarozjəny*
diepzeeduiken *12.2*	подводное плавание	*padwodnajə plawaniejə*
dier	животное	*zjywotnajə*
dierbaar	дорогой	*daraĝoj*
dierentuin	зоопарк	*za-apark*
diesel *5.5*	дизель	*diezəl*
dieselolie *5.5*	дизельное масло	*diezəlnajə maslo*
dij	бедро	*bjədro*
dik	толстый	*tolsty*
diner *7.3*	ужин	*oezjyn*
dineren *3.7, 11.2*	ужинать	*oezjynat*
dinsdag *1.1*	вторник	*ftorniek*
disco *7.4, 11.2*	дискотека	*dieskatjeka*
dochter *3.1*	дочь	*dotsj*
doe-het-zelf-zaak *10*	магазин ‘сделай сам’	*maĝazien zdjelaj sam*
doen *3.1*	делать	*djelat*
dokter *13.1, 14.1*	врач	*wratsj*
donderdag *1.1*	четверг	*tsjətwjerk*
donker	тёмный	*tjomny*
dood	мёртвый	*mjortwy*
dooien *1.5*	таять	*tajət*
doorslikken *13.4*	проглотить	*praĝlatiet*
doorsturen *7.5*	переслать	*pjerəslat*
doos *10.2*	коробка	*karopka*
doperwten *4.6, 10.2*	(зелёный) горошек	*(zəljony) ĝarosjək*
dorp	деревня	*djəreewnja*
dorst *3.2, 3.6*	жажда	*zjazjda*
douane *5.1*	таможня	*tamozjnja*
douanecontrole *5.1*	таможный осмотр	*tamozjny asmotr*
douche *7.2, 12.2*	душ	*doesj*
draad(je) *3.5*	нитка (ниточка)	*nietka (nietatsjka)*
draaien (nummer) *9.2*	набрать	*nabrat*
drankje	напиток	*napietak*
driehoek	треугольник	*tre-oeĝolniek*
dringend *9.2, 14.1*	срочный	*srotsjny*
drinken *3.6, 4.2*	пить	*piet*
drinkwater *7.2*	питьевая вода	*pietjəwaja wada*
drogen *10.5*	сушить	*soesjiet*
drogist *10*	аптека	*aptjeka*
dromen *3.9*	мечтать	*mjətsjtat*

droog *3.4*	сухой	*soechoj*
droogshampoo *10.1, 10.5*	сухой шампунь	*soechoj sjampoen*
droogte	засуха	*zasoecha*
droogtrommel *7.2*	сушилка	*soesjylka*
drop	лакрица	*lakrietsa*
drugs	наркотики	*narkotiekie*
druiven	виноград	*wienaĝrat*
druivesap *4.2. 4.6, 10.2*	виноградный сок	*wienaĝradny sok*
druk (spanning)	давление	*dawleeniejə*
druk (bn) *7.2*	живой	*zjywoj*
drukken	печатать	*pjətsjatat*
duidelijk *9.2*	ясный	*jasny*
duif	голубь	*ĝoloep*
duiken *12.2*	нырять	*nyrjat*
duikplank *12.2*	трамплин	*tramplien*
duiksport	водолазный спорт	*wadalazny sport*
duikuitrusting	водолазные принадлежности	*wadalaznyjə prienadljezjnastie*
Duits	немецкий	*njəmjətskie*
duizelig, ik ben *13.2*	у меня кружит голова	*oe mjənja kroezjyt ĝalawa*
dun	тонкий	*tonkie*
duren *5.6, 11.1*	длиться	*dlietsə*
duur (bn) *10.1*	дорогой	*daraĝoj*
duwen *5.6*	толкать	*talkat*

E

eau de toilette	одеколон	*adjəkalon*
eb *12.2*	отлив	*atlief*
eczeem	экзема	*eĝzema*
eenpersoons *7.3*	одноместный	*adnamjestny*
eenrichtingsverkeer *5.3*	одностороннее движение	*adnastaronjə dwiezjeeniejə*
eenvoudig *10.1*	простой	*prastoj*
eergisteren *1.1*	позавчера	*pazaftsjəra*
eerlijk	честный	*tsjestny*
eerste hulp *14.1*	скорая помощь	*skoraja pomassj*
eerste *1.4*	первый	*pjerwy*
eerste klas *6.3*	первый класс	*pjerwy klas*
eetzaal *7.3*	столовая	*stalowaja*

ei *4.7*	яйцо	*jajtso*
eigenlijk	собственно	*sopstwjəna*
eiland	остров	*ostraf*
eindpunt *11.1*	конец маршрута	*kanjets marsjroeta*
elastiekje	резинка	*rəzienka*
elektriciteitsaansluiting *7.2*	розетка	*razetka*
elektrisch *7.1, 10.1*	электрический	*elektrietsjəskie*
en	и	*ie*
emmer *7.2, 10.1*	ведро	*wjədro*
Engels	английский	*anĝlieskie*
enkel (zn) *13.2*	лодыжка	*ladysjka*
enkele reis (kaartje) *6.3*	в один конец	*w adien kanjets*
entree *11.2*	вход	*fchot*
envelop *10.1*	конверт	*kanwjert*
erg (ernstig) *13.2, 14.1*	ужасно	*oezjasna*
ergens *1.6*	где-то	*ĝdjeta*
ernstig *13.3*	серьёзный	*sərjozny*
etalage *10.3*	этаж	*etasj*
eten (ww) *3.7, 4.2*	есть	*jeest*
etmaal *13.4*	сутки	*soetkie*
evenement	событие	*sabytiejə*
excursie *11.1*	экскурсия	*ekskoersieja*
excuses *2.5*	извинения	*iezwienjeenieja*
eyeliner	карандаш для обводки глаз	*karandasj dlja abwotkie ĝlas*

F

fabriek *10.1, 11.1*	завод, фабрика	*zawot, fabrieka*
familie *3.1*	семья	*səmja*
faxen *9.1*	отослать факс	*ataslat faks*
februari *1.1*	февраль	*fjəwral*
feest *3.3, 11.1*	праздник	*prazniek*
feestdag *1.2*	праздник	*prazniek*
feestje *3.7*	вечеринка	*wjetsjərienka*
feestvieren *3.3*	пировать	*pierawat*
feliciteren *3.3*	поздравлять	*pazdrawljat*
fiets *5.7*	велосипед	*wjəlasiepjet*
fietsenmaker *5.7*	ремонт велосипедов	*rəmont wjəlasiepjedaf*
fietspomp *5.7*	велосипедный насос	*wjəlasiepjedny nasos*
fietszitje *5.7*	детское седло	*djetskajə sədlo*

fijn *2.6*	прекрасно	*prəkrasna*
film *3.5, 10.4, 11.2*	фильм	*fielm*
filmcamera *10.4, 14.2, 14.4*	киноаппарат	*kiena-aparat*
filter	фильтр	*fieltr*
fitnesscentrum	спортивно-оздоровительный центр	*spartiewna azdarawietjəlny tsentr*
fitnesstraining	спортивно-оздоровительная тренировка	*spartiewna azdarawietjəlnaja trənierofka*
flat	многоэтажный дом	*mnoĝa-etazjny dom*
flauw (eten) *4.4*	безвкусный	*bjesfkoesny*
flauwekul *2.6*	ерунда	*jəroenda*
fles (voor baby)	рожок	*razjok*
fles *4.2, 5.1, 10.2*	бутылка	*boetylka*
flitsblokje *10.4*	лампа для вспышки	*lampa dlja fspysjkie*
flitser *10.4*	вспышка	*fspysjka*
flitslampje *10.4*	лампа для вспышки	*lampa dlja fspysjkie*
föhnen *10.5*	сушить феном	*soesjiet fenam*
folkloristisch	фольклорный	*falklorny*
fontein	фонтан	*fantan*
fooi *4.3*	на чай	*na tsjaj*
forel	форель	*fareel*
formulier *1.8, 9.1*	бланк	*blank*
fort *11.1*	крепость	*krjepast*
foto *3.2*	снимок	*sniemak*
fotograferen *3.5, 11.1*	фотографировать	*fotoĝrafierawat*
fotokopie *9.1*	фотокопия	*fotokopieja*
fotokopiëren *9.1*	делать фотокопию	*djelat fotokopiejoe*
fototoestel *10.4, 14.2, 14.4*	фотоаппарат	*foto-aparat*
fout (zn) *4.4*	ошибка	*asjypka*
frambozen *4.6, 10.2*	малина	*maliena*
frank *8.1*	франк	*frank*
Frans	французский	*frantsoeskie*
frisdrank *4.7*	прохладательный напиток	*prachladatjəlny napietak*
fruit *4.7*	фрукты	*froekty*

G

gaan (lopend/rijdend)	идти/ехать	*ietie/jechat*
gaar *4.4*	сваренный	*swarjəny*

galerie	галерея	*ĝaljəreeja*
gang (in gebouw) *7.4*	коридор	*kariedor*
garage *5.6*	гараж	*ĝarasj*
garderobe *11.2*	гардероб	*ĝardjərop*
garen *3.5*	нить	*niet*
garnalen *4.6, 10.2*	креветки	*krəwjetkie*
gastvrijheid *3.11, 7.5*	гостеприимство	*ĝastjəprie-iemstwo*
gauw *2.1, 3.11*	скоро	*skora*
gebakje	пирожное	*pierozjnajə*
gebakken *4.2*	жареный	*zjarjəny*
geboren *3.1*	рождённый	*razjdjony*
gebouw	здание	*zdaniejə*
gebraden *4.2*	жареный	*zjarjəny*
gebruikelijk	обычно	*abytsjna*
gebruiken *3.4*	использовать	*iespolzawat*
gebruiksaanwijzing *10.1*	инструкция к употреблению	*ienstroektsieja k oepatrəbleeniejoe*
gedistilleerd water *5.4*	дистилированная вода	*diestielierowanaja wada*
gedurende *3.4*	в течении	*w tjətsjeenie- ie*
geel	жёлтый	*zjolty*
gegevens *14.3*	данные	*danyjə*
gehakt	рубленое мясо	*roebljənajə mjaso*
gehoorapparaat	слуховой аппарат	*sloechawoj aparat*
geitekaas	козий сыр	*kozie syr*
gekoeld *10.2*	прохладный	*prachladny*
gekookt *4.2*	варёный	*warjony*
gekruid *4.2*	приправленный	*prieprawljəny*
gel *10.5*	гель	*ĝeelj*
geld *8.1*	деньги	*djeenĝie*
geldig *6.1*	действующий	*djeestwoejoessjie*
geloof	вера	*wjera*
geluk *2.1*	счастье	*ssjastjə*
gemakkelijk	лёгкий	*ljochkie*
gember *4.6, 10.2*	имбирь	*iembier*
geneesmiddel *13.4*	лекарство	*ljəkarstwo*
genieten *3.11*	наслаждаться	*naslazjdatsə*
genoegen *2.4*	удовольствие	*oedawolstwiejə*
gepensioneerd *3.2*	на пенсии	*na peensie-ie*
gerecht *4.4*	блюдо	*bljoedo*
gereedschap (mv)	инструменты	*ienstroemjenty*
gereserveerd *6.1*	заказанный	*zakazany*
gerookt *4.2*	копчёный	*kaptsjony*
geroosterd *4.2*	жареный на вертеле	*zjarjəny na wjertjəljə*

gescheiden *3.1*	разведён (разведена)	*razwədjon (razwədjəna)*
geschenk *10.1*	подарок	*padarak*
geslachtsziekte *3.9, 13.3*	венерическая болезнь	*wjenərietsjəskaja baleezn*
gesprek (-in) *9.2*	занят	*zanjət*
gestoofd *4.2*	тушёный	*toesjony*
getrouwd *3.1*	женатый (замужем)	*zjənaty (zamoezjəm)*
getuige *14.3*	свидетель	*swiedjeetjəl*
gevaar *14.1*	опасность	*apasnast*
gevaarlijk *1.7, 14.1*	опасный	*apasny*
gevarendriehoek *5.6*	знак аварийной остановки	*znak awariejnəj astanofkie*
gevogelte *4.2*	птица	*ptietsa*
gevonden voorwerpen *14.1*	находки	*nachotkie*
gewond *14.3*	раненый	*ranjəny*
gewoon	обычный	*abytsjny*
gezellig *2.6*	уютный	*oejoetny*
gezicht (gelaat)	лицо	*lietso*
gezin *3.1, 7.1*	семья	*səmja*
gezondheid *13.3*	здоровье	*zdarowjə*
gids (persoon) *11.1*	гид	*ĝiet*
gids (boekje) *11.1*	путеводитель	*poetjəwadietjəl*
gif *13.2*	яд	*jat*
girobetaalkaart *8.1, 9.1*	жироприказ #	*zjyrapriekas*
giropasje *8.1*	жиропас #	*zjyrapas*
gisteren *1.1*	вчера	*ftsjəra*
glas (voor wodka ed.)	рюмка	*rjoemka*
glas (voor wijn) *4.2*	бокал	*bakal*
glas (voor water, frisdrank ed.) *4.2*	стакан	*stakan*
gletsjer	ледник	*ljədniek*
godsdienst	религия	*rəlieĝieja*
goed *2.1, 2.6*	хороший	*charosjy*
goedemiddag *2.1*	добрый день	*dobry djeen*
goedemorgen *2.1*	доброе утро	*dobrajə oetro*
goedenacht *2.1*	спокойной ночи	*spakojnəj notsjie*
goedenavond *2.1*	добрый вечер	*dobry weetsjər*
goedendag *2.1*	здравствуйте	*zdrastwoejtjə*
goedkoop *10.1*	дешёвый	*djəsjowy*
golfbaan *12.1*	площадка для игры в гольф	*plassjatka dlja ieĝry w ĝolf*

golfen *12.1*	играть в гольф	*ieĝrat w ĝolf*
golfslagbad *12.2*	бассейн с искусстве-нными волнами	*baseejn s ieskoest-wjənymie wolnamie*
goud	золото	*zoloto*
graag *2.4, 4.2*	с удовольствием	*s oedawolstwiejəm*
graden *1.5, 13.2*	градусы	*ĝradoesy*
graf	могила	*maĝiela*
gram *10.2*	грамм	*ĝram*
grap	шутка	*sjoetka*
grapefruit	грейпфрут	*ĝreepfroet*
gratis *11.1, 11.3*	бесплатный	*bjesplatny*
grens *5.1*	граница	*ĝranietsa*
griep *13.3*	грипп	*ĝriep*
grijs (haar) *14.5*	седой	*sədoj*
grijs	серый	*seery*
grilleren *4.2*	жарить на вертеле	*zjariet na wjertjəljə*
groen	зелёный	*zəljony*
groente *4.7*	овощи (mv)	*owassjie*
groentesoep *4.6*	овощной суп	*awassjnoj soep*
groep *11.1*	группа	*ĝroepa*
groeten, de *2.1, 3.11*	привет	*priewjet*
grond	пол	*pol*
groot *10.1*	большой	*balsjoj*
groothoeklens	широкоугольный объектив	*sjyroka-oeĝolny abjəktief*
grot	пещера	*pjəssjera*
grote weg	магистраль	*maĝiestral*
gulden *8.1*	гульден	*ĝoeldən*

H

haai *4.6, 12.2*	акула	*akoela*
haar *10.5, 14.5*	волосы (mv)	*wolasy*
haarborstel	щётка	*ssjotka*
haarlak *10.1, 10.5*	лак для волос	*lak dlja walos*
haarspelden *10.1, 10.5*	шпильки	*sjpielkie*
haast (zn) *6.7, 7.5, 13.5*	поспешность	*paspjesjnast*
hak *10.3*	каблук	*kabloek*
halen *3.10, 5.6*	достать	*dastat*
half *1.4*	наполовину	*napalawienoe*
halfvol (v. melk) *10.2*	полужирный	*paloezjyrny*

halfvol	полупустой	*paloepoestoj*
hallo *2.1*	привет	*priewjet*
halte *6.1*	остановка	*astanofka*
ham	окорок	*okarak*
ham (gerookt)	ветчина	*wjətsjiena*
hamer	молоток	*malatok*
hand	рука	*roeka*
handdoek *7.3*	полотенце	*palatjentsə*
handgemaakt *10.1*	сделанный вручную	*zdjelany wroetsjnoejoe*
handrem *5.4*	ручной тормоз	*roetsjnoj tormas*
handschoen *10.3*	перчатка	*pjərtsjatka*
handtas	сумка	*soemka*
handtekening *8.1*	подпись	*potpies*
hard (niet zacht) *7.2*	твёрдый	*twjordy*
hard (spreken) *9.2*	громко	*ĝromka*
haring (vis)	селёдка, сельдь	*səljotka, seelt*
haring (tent-) *7.2*	колышек	*kolysjək*
hart	сердце	*sertsə*
hartelijk *2.4*	сердечный	*sərdjeetsjny*
hartig *4.2*	солёный	*saljony*
hartpatiënt: hij is- *3.3*	у него больное сердце	*oe njəwo balnojə sertsə*
haven	порт	*port*
hazelnoot *4.2, 10.1*	лесной орех	*ljəsnoj arjech*
hechten (med) *13.3*	сшить	*sjiet*
hechting *13.3*	шов	*sjof*
heerlijk *2.6, 4.5*	вкусный	*fkoesny*
heimwee	тоска по родине	*taska pa rodienjə*
hek *7.1*	калитка	*kalietka*
helemaal	совсем	*safs-jem*
helft *1.4*	половина	*palawiena*
helm *5*	шлем	*sjljem*
helpen *2.2, 3.2, 14.1*	помочь	*pamotsj*
hemd *10.3*	рубашка	*roebasjka*
hengel *12.2*	удочка	*oedatsjka*
herfst *1.1*	осень	*osən*
herhalen	повторить	*paftariet*
hersenschudding *13.2*	сотрясение мозга	*satrəseeniejə mozĝa*
heten: ik, hij/zij heet *3.1*	меня, его/её зовут	*mjənja, jəwo/jəjo*
hetzelfde *4.2*	то же самое	*to zjə samajə*
heup *13.2*	бедро	*bjədro*
hiel	пятка	*pjatka*
hier *1.6*	здесь	*zdjees*

hobby *3.5*	хобби	*chobie*
hoe? *2.2*	как?	*kak?*
hoed	шляпа	*sjljapa*
hoek *4.1*	угол	*oeĝal*
hoelang? *2.2*	как долго?	*kak dolĝa?*
hoest *13.2*	кашель	*kasjəl*
hoestdrank *13.4*	микстура от кашля	*miekstoera at kassjlja*
hoeveel? *2.2*	сколько?	*skolka?*
hoe ver? *2.2*	как далеко?	*kak daljəko?*
hond *13.2*	собака	*sabaka*
honger *4.1*	голод	*ĝolat*
honing *4.7*	мёд	*mjot*
hoofd	голова	*ĝalawa*
hoofdpijn *13.2*	головная боль	*ĝalawnaja bol*
hoofdpostkantoor *9.1*	главный почтамт	*ĝlawny patsjtamt*
hoog *10.3*	высокий	*wysokie*
hooikoorts *13.2*	сенная лихорадка	*sənaja liecharatka*
horizontaal *7.2*	горизонтальный	*ĝariezantalny*
hotel *3.1, 6.7, 7.3*	гостиница	*ĝastienietsa*
houdbaar *10.2*	нескоропортящийся	*njeskoraportjassjiesə*
houden van *2.6, 3.5*	любить	*ljoebiet*
hout	дерево	*djeerəwo*
huid	кожа	*kozja*
huilen	плакать	*plakat*
huis *3.1, 3.11*	дом	*dom*
huisdieren *7.1*	домашные животные	*damasjnyjə zjywotnyjə*
huishoudelijke artikelen *10*	хозяйственные товары	*chaz-jajstwjənyjə tawary*
huisje (vakantie-) *7.3*	дача	*datsja*
huisvrouw *3.1*	домохозяйка	*damachazajka*
hulp *5.6, 14.1*	помощь	*pomassj*
huren *5.8, 7.2, 12.1*	снять	*snjat*
hut (niet op schip) *7.2*	избушка	*iezboesjka*
hut (op schip) *6.3*	каюта	*kajoeta*
huur (te-)	сдаётся	*zdajotsə*
huwelijk	брак	*brak*
huwelijk (bruiloft)	свадьба	*swadba*
hyperventilatie *13.2*	гипервентиляция	*ĝiepjərwjentieljatsieja*

I

idee *3.7*	идея	*iedjeeja*
identificeren *5.1, 8.1*	установить личность	*oestanawiet lietsjnast*

identiteitsbewijs *1.8*	удостоверение личности	*oedastawjəreeniejə lietsjnastie*
iemand	кто-то	*ktota*
iets	что-то	*sjtota*
ijs (consumptie-) *4.7*	мороженое	*marozjənajə*
ijsblokjes *4.7*	кубики льда	*koebiekie lda*
ijzer	железо	*zjəljezo*
imperiaal	империал	*iempjərie-al*
in *1.6*	в	*w*
inbegrepen *4.3, 5.8*	включая	*fkloetsjaja*
inbraak *14.4*	взлом	*wzlom*
inchecken *6.5*	закомпостировать билет	*zakampastierawat bieljet*
inclusief *7.1*	включая	*fkloetsjaja*
indrukken *3.2*	нажать	*nazjat*
inenten *13.3*	привить	*priewiet*
infectie *13.3*	заражение	*zarazjeeniejə*
informatie *11.1*	информация	*ienfarmatsieja*
inhaalverbod *5.3*	обгон запрещён	*abĝon zaprəssjon*
inhalen	обогнать	*abaĝnat*
injectie *13.4*	укол	*oekol*
inlegzool *10.3*	стелька	*stjeelka*
inlichting *6.4*	справка	*sprafka*
inlichtingenbureau *6.4*	справочное бюро	*sprawatsjnajə bjoero*
innemen *13.4*	принять	*prienjat*
inpakken *10.1*	завернуть	*zawjərnoet*
insekt *7.4, 13.2*	насекомое	*nasəkomajə*
insektebeet *13.2*	укус насекомого	*oekoes nasəkomawa*
insgelijk *2.1*	вам того же	*wam tawozjə*
interlokaal *9.2*	междугородный	*mjəzjdoeĝarodny*
internationaal *9.2*	международный	*mjəzjdoenarodny*
invalide	инвалид	*ienwaliet*
invoerrechten *5.1*	пошлина	*posjliena*
invullen *8, 8.1*	заполнить	*zapolniet*
Italiaans	итальянский	*ietaljanskie*

J

ja *2.3*	да	*da*
jaar *1.1, 3.1*	год	*ĝot*
jacht (schip) *12.2*	яхта	*jachta*
jachthaven *12.2*	яхт-клуб	*jachtkloep*

jam *4.7*	варенье	*wareenjə*
jammer *2.6*	жаль	*zjal*
januari *1.1*	январь	*jənwar*
jarig: ik ben (jij bent, hij/zij is ...)	у меня (тебя, него/неё) день рождения	*oe mjənja (tjəbja, njəwo/njəjo) djeen razjdjeenieja*
jas *3.4, 10.3*	пальто	*palto*
jasje *10.3*	пиджак	*piedzjak*
jeugdherberg *7.1*	молодёжная турбаза	*maladjozjnaja toerbaza*
jeuk *13.2*	зуд	*zoet*
jodium *13.4*	йод	*jot*
joggen *12.1*	бегать	*bjeĝat*
jongen *3.8*	мальчик	*maltsjiek*
juli *1.1*	июль	*iejoel*
juni *1.1*	июнь	*iejoen*
jurk *10.3*	платье	*platjə*
juwelier *10*	ювелир	*joewjəlier*

K

kaak *13.5*	челюсть	*tsjeljoest*
kaars *10.1*	свеча	*swətsja*
kaart *5.0*	карта	*karta*
kaartje (voor transport) *6.3*	билет	*bieljet*
kaartje (toegang) *11.3*	билет	*bieljet*
kaas (oude, jonge) *4.7*	сыр	*syr*
kabeljauw	треска	*trəska*
kakkerlak *7.4*	таракан	*tarakan*
kalfsvlees *4.6*	телятина	*tjəljatiena*
kalmeringsmiddel *13.4*	успокаивающее средство	*oespaka-iewajoessjəjə sretstwo*
kam	расчёска	*rastsjoska*
kamer *7.3*	комната	*komnata*
kamermeisje *7.3*	горничная	*ĝornietsjnaja*
kamernummer *7.3*	номер	*nomjər*
kampeergids *7.2*	путеводитель по кемпингу	*poetjəwadietjəl pa kjempienĝoe*
kampeerterrein *7.2*	кемпинг	*kjempienk*
kampeervergunning *7.2*	разрешение на кемпинг	*razrəsjeeniejə na kjempienk*
kamperen *7.2*	жить в палатке	*zjyt w palatkjə*
kampvuur *7.2*	костёр	*kastjor*

kampwinkel *7.2*	магазин	*maĝazien*
kano *12.2*	байдарка	*bajdarka*
kanoën *12.2*	грести на байдарке	*ĝrəstie na bajdarkjə*
kant (richting) *5, 6.4*	сторона	*starana*
kant (stof) *10.1*	кружево	*kroezjəwo*
kantoor	контора	*kantora*
kapel *11.1*	часовня	*tsjəsownja*
kapot *4.4, 10.4*	сломанный	*slomany*
kapper (dames, heren) *10*	парикмахерская (женская, мужская)	*pariekmachərskaja (zjenskaja, moessjkaja)*
karaf *4.2*	графин	*ĝrafien*
kassa *8.2, 10.1*	касса	*kasa*
kassabon *8.2, 10.1*	чек	*tsjek*
kasteel *11.1*	замок	*zamak*
kat	кошка	*kosjka*
kathedraal *11.1*	собор	*sabor*
katoen *10.3*	хлопок	*chlopak*
kauwgum	жвачка	*zjwatsjka*
keel *13.2*	горло	*ĝorlo*
keelpastilles	таблетки для горла	*tabljetkie dlja ĝorla*
keelpijn *13.2*	боль в горле	*bol w ĝorljə*
keer *13.4*	раз	*ras*
kengetal *9.2*	код (города)	*kot (ĝorada)*
kentekenbewijs *5.1*	технический паспорт	*tjəchnietsjəskie paspart*
kerk *11.1*	церковь	*tserkaf*
kerkdienst	(церковная) служба	*(tsərkofnaja) sloezjba*
kerkhof	кладбище	*kladbiessjə*
kermis	балаганы	*balaĝany*
kersen	вишни	*wiesjnie*
ketting *10.1*	цепь	*tseep*
keuken *7.4*	кухня	*koechnja*
kies *13.5*	зуб	*zoep*
kiespijn *13.5*	зубная боль	*zoebnaja bol*
kiezen	выбрать	*wybrat*
kijken	смотреть	*smatreet*
kilo *10.2*	кило	*kielo*
kilometer	километр	*kielamjetr*
kilometerteller *5.4*	спидометр	*spiedomjetr*
kin	подбородок	*padbarodak*
kind *3.1*	ребёнок	*rəbjonak*
kindergebedje *7.3*	детская кроватка	*djetskaja krawatka*
kinderstoel *4.1*	детский стулик	*djetskie stoeliek*
kinderwagen *7.3*	детская коляска	*djetskaja kaljaska*
kiosk *10*	киоск	*kie-osk*

kip	курица	*koerietsa*
klaar *5.6*	готовый	*ĝatowy*
klacht *5.2, 7.4*	жалоба	*zjalaba*
klachten: wat zijn de – ? *13.2*	на что вы жалуетесь?	*na sjto wy zjaloejətjəs?*
klachtenboek *4.4*	книга жалоб	*knieĝa zjalap*
klassiek concert	классический концерт	*klasietsjəskie kantsert*
kleding *10.3*	одежда	*adjezjda*
kledingstuk *10.3*	предмет одежды	*prədmjet adjezjdy*
kleerhanger *7.3*	плечики (mv)	*pleetsjiekie*
klein *10.1*	маленький	*maljənkie*
kleingeld *8.1*	мелочи (mv)	*mjelatsjie*
kleinkind *3.1*	внук (внучка)	*wnoek (wnoetsjka)*
kleren *10.3*	одежда	*adjezjda*
kleur	цвет	*tswet*
kleurboek	альбом для раскрашивания	*albom dlja raskrasjywanieja*
kleuren-tv *7.3*	цветной телевизор	*tswətnoj tjeləwiezar*
kleurpotloden	цветные карандаши	*tswətnyjə karandasjy*
klontjes (suiker) *4.2, 10.2*	кусочки сахара	*koesotsjkie sachara*
klooster *11.1*	монастырь	*manastyr*
kluis (in hotel) *7.2*	сейф	*seef*
kluis (bagage) *5.2*	багажный сейф	*baĝazjny seef*
kneuzen *13.3*	ушибить	*oesjybiet*
knie *13.2*	колено	*kaljeno*
kniekousen *10.3*	гольфы	*ĝolfy*
knippen *10.5*	резать	*rjezat*
knoop (aan jas)	пуговица	*poeĝawietsa*
knop (je) *3.2, 5.8*	кнопка	*knopka*
knuffelbeest	плюшевая игрушка	*pljoesjəwaja ieĝroesjka*
koekepan *7.3, 10.1*	сковорода	*skawarada*
koekjes	печенье	*pjətsjeenjə*
koelkast *7.4*	холодильник	*chaladielniek*
koers (geld) *8.1*	курс	*koers*
koffer *5.1, 5.2*	чемодан	*tsjəmadan*
koffie *4.7*	кофе	*kofjə*
koffiefilter	фильтр (для кофе)	*fieltr (dlja kofjə)*
koffiemelk	концентрированное молоко	*kantsəntrierawanajə malako*
kok *4.5*	повар	*powar*
koken *3.8*	готовить	*ĝatowiet*
komen (lopend/rijdend) *3.1*	прийти/приехать	*prietie/priejechat*

komkommer	огурец	*aĝoerjets*
koning	король	*karol*
koningin	королева	*karaljewa*
kool	капуста	*kapoesta*
koorts *13.2*	температура	*tjempəratoera*
kopen *11.1*	купить	*koepiet*
koper (metaal)	медь	*mjeet*
kopie *9.1*	копия	*kopieja*
kopieerapparaat *9.1*	ксерокс	*kseraks*
kopje *4.2*	чашка	*tsjasjka*
kort *10.5*	короткий	*karotkie*
korting *10.1*	скидка	*skietka*
kortsluiting *7.3*	короткое замыкание	*karotkajə zamykaniejə*
kostbaar *14.2*	дорогой	*daraĝoj*
kostuum *10.3*	костюм	*kastjoem*
kotelet *4.6, 10.2*	отбивная котлета	*adbiewnaja katljeta*
kotszakje *6.5*	гигиенический пакет	*ĝieĝiejənietsjəskie pakjet*
koud *1.5, 4.4*	холодный	*chalodny*
kousen *10.3*	чулки	*tsjoelkie*
kraan *7.4*	кран	*kran*
kraanwater *7.2*	водопроводная вода	*wadaprawodnaja wada*
krab *4.6*	краб	*krap*
krampen in buik *13.2*	колики	*koliekie*
krampen in spieren	мышечная судорога	*mysjətsjnaja soedaroĝa*
krant	газета	*ĝaz-jeta*
kreeft *4.6*	рак	*rak*
krik *5.6*	домкрат	*damkrat*
kropsla *4.6, 10.2*	кочанный салат	*katsjany salat*
kruiden *4.2*	приправа	*prieprawa*
kruidenier *10*	бакалейный магазин	*bakaleejny maĝazien*
kruidenthee *4.7*	чай из трав	*tsjaj ies traf*
kruier *5.2*	носильщик	*nasielssjiek*
kruik	грелка	*ĝrjelka*
kruising *5.3*	перекрёсток	*pjerəkrjostak*
krullend *14.5*	вьющийся	*wjoessjiesə*
kubieke meter	кубический метр	*koebietsjəskie mjetr*
kunst *10.1, 11.1*	искусство	*ieskoestwo*
kunstgebit *13.5*	зубной протез	*zoebnoj pratjes*
kunstmatige ademhaling *14.3*	искусственное дыхание	*ieskoestwjənajə dychaniejə*
kunstnijverheid	прикладное искусство	*priekladnojə ieskoestwa*
kurketrekker *10.1*	штопор	*sjtopar*

kus *3.9*	поцелуй	*patsəloej*
kussen (ww) *3.9*	целовать	*tsəlawat*
kussen (het) *7.3, 7.4*	подушка	*padoesjka*
kussensloop *7.4*	наволочка	*nawalatsjka*
kussentje	подушечка	*padoesjətsjka*
kuur *13.4*	лечение	*ljətsjeeniejə*
kwal *12.2, 13.2*	медуза	*mjədoeza*
kwalijk nemen *2.5*	обижаться	*abiezjatsə*
kwart *1.4*	четверть	*tsjetwərt*
kwartier *1.3*	четверть часа	*tsjetwərt tsjəsa*
kwijtraken *14.6*	потерять	*patjərjat*
kwitantie *5.6, 8.2*	квитанция	*kwietantsieja*

L

laag *10.3*	низкий	*nieskie*
laat *1.3*	поздний	*poznie*
laatste *6.4*	последний	*pasleednie*
lachen *3.9*	смеяться	*smeejatsə*
laken *7.3*	простыня	*prastynja*
lamp *7.4*	лампа	*lampa*
land	страна	*strana*
landen *6.5*	приземлиться	*priezəmlietsə*
landkaart *5.0*	географическая карта	*ĝe-oĝrafietsjəskaja karta*
landnummer *9.2*	код страны	*kot strany*
lang *10.5*	длинный	*dlieny*
langlaufen *12.3*	кататься на лыжах	*katatsə na lyzjach*
langlaufloipe *12.3*	лыжная трасса	*lyznaja trasa*
langzaam *6.6*	медленный	*meedljəny*
last, hij heeft last van … *13.2*	его беспокоит ...	*jəwo bjəspako-iet …*
lawaai *7.4*	шум	*sjoem*
lawine *12.3*	лавина	*lawiena*
laxeermiddel *13.4*	слабительное	*slabietjəlnajə*
lederwaren *10.1*	кожевенные товары	*kazjewjənyjə tawary*
leeftijd *11.2*	возраст	*wozrast*
leeg	пустой	*poestoj*
leer *10.3*	кожа	*kozja*
leidingwater *7.2*	водопроводная вода	*wodaprawodnaja wada*
lek: lekke band *5.6*	лопнула шина	*lopnoela sjyna*
lekker *4.5*	вкусный	*fkoesny*
lelijk *11.1*	некрасивый	*njekrasiewy*

lenen *14.6*	дать взаймы	*dat wzajmy*
lens *10.4*	линза	*lienza*
lente *1.1*	весна	*wjəsna*
lepel *4.2*	ложка	*losjka*
les *12.1*	урок	*oerok*
leuk vinden: ik vind leuk *3.1*	мне нравится	*mnje nrawietsə*
leuk (vermakelijk) *2.6, 3.8, 10.1*	забавный	*zabawny*
levensmiddelen *10.2*	продукты	*pradoekty*
lezen *3.5*	читать	*tsjietat*
lichaam	тело	*tjelo*
licht (tabak)	лёгкий	*ljochkie*
licht (niet donker)	светлый	*swetly*
licht (niet zwaar)	лёгкий	*ljochkie*
licht (zn.)	свет	*swet*
lidmaatschap *11.2*	членство	*tsjlenstwo*
lief *3.8*	милый	*miely*
liefde *3.9*	любовь	*loebof*
liegen	лгать	*lĝat*
liever hebben	предпочесть	*prətpatsjeest*
lift (stoeltjes-) *12.3*	кресельная канатная дорога	*kreesəlnaja kanatnaja darôĝa*
lift, een ... geven *5.9*	подвести	*padwəstie*
lift (in gebouw) *7.3*	лифт	*lieft*
liften *5.9*	ехать по автостопу	*jechat pa aftastopoe*
liggen *13.3*	лежать	*ljəzjat*
ligstoel *12.2*	шезлонг	*sjezlonk*
lijm	клей	*kleej*
lijn	линия	*lienieja*
limonade *4.6, 10.2*	лимонад	*liemanat*
links *1.6*	левый	*ljewy*
linksaf *5.0*	налево	*naljewa*
linnen *10.3*	холст	*cholst*
linzen *4.6, 10.2*	чечевицы	*tsjətsjəwietsy*
lippenstift	губная помада	*ĝoebnaja pamada*
liter *5.5*	литр	*lietr*
literatuur	литература	*lietjəratoera*
loge *11.3*	ложа	*lozja*
logeren *3.1*	остановиться	*astanawietsə*
loket *9.1*	окошко	*akosjko*
longen *13.2*	лёгкие	*ljochkiejə*
loodvrij *5.5*	без свинца	*bjes swientsa*
loopski's *12.3*	лыжи	*lyzjy*

lopen *3.7*	идти	*ietie*
lotion *10.5*	лосьон	*las-jon*
LPG *5.5*	сжиженный (нефтяной) газ	*zjyzjəny (njeftjənoj) ĝas*
luchtbed *7.2*	надувной матрац	*nadoewnoj matrats*
luchthaven *6.5*	аэропорт	*a-eraport*
luchtpost (per-) *9.1*	авиапочтой	*awie-apotsjtəj*
lucifers *4.2*	спички	*spietsjkie*
luier	пелёнка	*pjəljonka*
luisteren	слушать	*sloesjat*
lukken *2.6*	удаться	*oedatsə*
lunch *7.3, 13.4*	обед	*abjet*
lunchpakket *7.3*	сухой паёк	*soechoj pajok*
lusten: ik lust ... *2.6*	мне нравится ...	*mnje nrawietsə ...*

M

maag *3.2*	желудок	*zjəloedak*
maag- en darmstoornis *13.2*	расстройство желудка и кишок	*rastrojstwo zjəloetka ie kiesjok*
maagpijn *13.2*	боль в желудке	*bol w zjəloetkjə*
maal (keer) *13.4*	раз	*ras*
maaltijd *13.4*	еда	*jəda*
maand *1.1*	месяц	*meesəts*
maandag *1.1*	понедельник	*panjədjeelniek*
maandverband	гигиеническая прокладка	*ĝieĝiejənietsjəkaja praklatka*
maart *1.1*	март	*mart*
maat *10.3*	размер	*razmjer*
macaroni	макароны	*makarony*
mager	худой	*choedoj*
maillot *10.3*	колготки	*kalĝotkie*
maïs *4.6, 10.2*	кукуруза	*koekoeroeza*
maïzena *10.2*	крахмал	*krachmal*
maken (foto) *3.2*	фотографировать	*fotoĝrafierawat*
mals *4.2*	мягкий	*mjachkie*
man (echtgenoot) *3.1*	муж	*moesj*
man	мужчина	*moesj-tsjiena*
manchetknopen *10.3*	запонки	*zapankie*
mandarijn	мандарин	*mandarien*
manege	манеж	*manjesj*
manicure *10.5*	маникюр	*maniekjoer*
margarine	маргарин	*marĝarien*

markt *10*	рынок	*rynak*
marmer	мрамор	*mramar*
massage *10.5*	массаж	*masasj*
mat (foto) *10.4*	матовый	*matawy*
maximumsnelheid *5.3*	максимальная скорость	*maksiemalnaja skorast*
mayonaise *4.2, 10.2*	майонез	*majones*
medicijn *13.3, 13.4*	лекарство	*ljəkarstwo*
meel *10.2*	мука	*moeka*
meer (het)	озеро	*ozəro*
meestal *3.1*	чаще всего	*tsjassjə fsəwo*
mei *1.1*	май	*maj*
meisje *3.8*	девочка	*djewatsjka*
melk *4.7*	молоко	*malako*
meloen (suiker-)	дыня	*dynja*
meloen (water-)	арбуз	*arboes*
meneer *2.1*	господин	*ĝaspadien*
menstruatie *3.3*	менструация	*menstroe-atsieja*
menu *4.1*	меню	*mjənjoe*
menukaart *4.2*	меню	*mjənjoe*
mes *4.2*	нож	*nosj*
metaal	металл	*mjətal*
meteen	сразу	*srazoe*
meter (100 cm)	метр	*mjetr*
meter (in taxi) *6.6*	счётчик	*ssjotsjiek*
metro *6.1*	метро	*mjətro*
metronet *6.4*	сеть метрополитена	*seet mjətropalietjena*
metrostation *6.1*	станция метро	*stantsieja mjətro*
mevrouw *2.1*	госпожа	*ĝaspazja*
middags ('s) *1.1*	днём	*dnjom*
middel (manier)	средство	*sretstwo*
midden (in het –) *1.6, 6.3, 11.3*	в середине	*w serədienjə*
mier *7.4*	муровей	*moeraweej*
migraine *13.2*	мигрень	*mieĝren*
millimeter	миллиметр	*mieliemjetr*
minder	меньше	*meensjə*
mineraalwater *4.7*	минеральная вода	*mienjəralnaja wada*
minuut *1.3*	минута	*mienoeta*
mis (zn)	обедня	*abjeednja*
misschien *2.3, 3.7*	может быть	*mozjət byt*
misselijk: ik ben *13.3*	меня тошнит	*mjənja tasjniet*
missen *3.9*	пропустить	*prapoestiet*
mist *3.4*	туман	*toeman*

misten: het mist *1.5*	стоит туман	*sta-iet toeman*
misverstand *14.6*	недоразумение	*njedarazoemeeniejə*
mode *10.1*	мода	*moda*
moderne kunst *11.1*	современное искусство	*sawrəmjenajə ieskoestwo*
moeder *3.1*	мать	*matj*
moeilijkheid *14*	сложность	*slozjnast*
moeras	болото	*baloto*
moersleutel *5.6*	гаечный ключ	*ĝajətsjny kljoetsj*
mokka	мокко	*moko*
molen	мельница	*meelnietsa*
moment *9.2*	момент	*mamjent*
mond *13.3*	рот	*rot*
montuur	оправа	*aprawa*
mooi *1.5, 2.6, 3.8*	красивый	*krasiewy*
morgen (dag na vandaag) *1.1, 2.1, 3.1, 3.9*	завтра	*zaftra*
morgen (ochtend)	утро	*oetro*
morgens ('s) *1.1*	утром	*oetram*
moskee *11.1*	мечеть	*mjətsjeet*
mosselen *4.6, 10.2*	мидия	*miedieja*
mosterd *4.2, 10.2*	горчица	*ĝartsjietsa*
motel *7.3*	мотель	*matel*
motorboot *12.2*	моторная лодка	*matornaja lotka*
motorcrossen	заниматься мотокроссом	*zaniematsə motakrosam*
motorfiets *5*	мотоцикл	*matatsiekl*
motorkap *5.4*	капот	*kapot*
motorpech *5.6*	поломка мотора	*palomka matora*
mug *7.4*	комар	*kamar*
muggenolie	масло против комаров	*maslo protief kamarof*
muis *7.4*	мышь	*mysj*
museum *11.1*	музей	*moezeej*
musical *11.2*	мюзикл	*mjoeziekl*
muts *10.3*	шапка	*sjapka*
muziek *3.5*	музыка	*moezyka*

N

na	после	*poslə*
naaigaren *10.1*	швейные нитки	*sjweejnyjə nietkie*

naakt *12.2*	голый	*ĝoly*
naaktstrand *12.2*	пляж нудистов	*pljasj noediestaf*
naald *3.5*	игла	*ieĝla*
naam (voornaam) *1.8, 3.1, 11.3*	имя	*iemja*
naam (achternaam) *1.8*	фамилия	*famielieja*
naam (vadersnaam)	отчество	*otsjəstwo*
naast *1.6*	возле	*wozlə*
nacht *7.1*	ночь	*notsj*
nachtclub *11.2*	ночной клуб	*natsjnoj kloep*
nachtdienst *13.1*	ночная смена	*natsjnaja smjena*
nachtleven *13.1*	ночная жизнь	*natsjnaja zjyzn*
nagel	ноготь	*noĝat*
nagellak	лак для ногтей	*lak dlja naktjeej*
nagellakremover	жидкость для снятия лака (с ногтей)	*zjytkast dlja snjatieja laka (s naktjeej)*
nagelschaartje	ножницы для ногтей	*nozjnietsy dlja naktjeej*
nagelvijl	пилочка для ногтей	*pielatsjka dlja naktjeej*
nat *3.4*	мокрый	*mokry*
nationaliteit *1.8*	национальность	*natsie-analnast*
naturisme *12.2*	нудизм	*noediezm*
natuur *11.1*	природа	*prieroda*
natuurlijk *2.3*	конечно	*kanjesjna*
Nederland *1.8, 8.1*	Голландия	*ĝalandieja*
Nederlander *3.1*	голландец	*ĝalandjəts*
Nederlandse *3.1*	голландка	*ĝalantka*
nee *2.3*	нет	*njet*
neef (zoon van oom, tante)	двоюродный брат	*dwajoerodny brat*
neefje (zoon van broer, zuster)	племянник	*pljəmjaniek*
negatief (foto) *10.4*	негатив	*njəĝatief*
nek *13.2*	шея	*sjeeja*
nergens *1.6*	нигде	*nieĝdje*
neus *13.2*	нос	*nos*
neusdruppels	капли для носа	*kaplie dlja nosa*
nicht (dochter van oom, tante)	двоюродная сестра	*dwajoerodnaja səstra*
nichtje (dochter van broer, zuster)	племянница	*pljəmjanietsa*
niemand *2.3*	никто	*niekto*
niets *2.3*	ничего	*nietsjəwo*
nieuw	новый	*nowy*

nieuws	новость	*nowast*
nodig	нужен	*noezjən*
non-stop *6.1*	непрерывно	*njeprəryswna*
noodrem *6*	запасной тормоз	*zapasnoj tormas*
nooduitgang *7.3, 14.1*	запасной выход	*zapasnoj wychat*
noodvulling *13.5*	временная пломба	*wreemjənaja plomba*
noodzakelijk *3.1*	необходимый	*nje-apchadiemy*
nooit	никогда	*niekaĝda*
noord *1.6*	север	*seewjər*
nootmuskaat *10.2*	мускатный орех	*moeskatny arjech*
norit *10.1*	лекарстьо от поноса	*ljəkarstwo at panosa*
normaal *5.5*	нормальный	*narmalny*
noten *4.7*	орехи	*arjechie*
november *1.1*	ноябрь	*najabr*
nu	сейчас	*seejtsjas*
nummer *9.2*	номер	*nomjər*
nummerbord *5.4*	номерной знак	*namjərnoj znak*

O

ober *4.2*	официант	*afietsant*
ochtendjas *10.3*	халат	*chalat*
oesters *4.6*	устрицы	*oestrietsy*
oever	берег	*bjeerək*
of	или	*ielie*
ogenblik *2.3, 6.7*	мгновение	*mĝnaweeniejə*
oktober *1.1*	октябрь	*aktjabr*
olie *5.5, 10.2*	масло	*maslo*
olie verversen *5.6*	сменить масло	*smjəniet maslo*
oliepeil *5.5*	уровень масла	*oerawjən masla*
olijfolie *4.2, 10.2*	оливковое масло	*aliefkawajə maslo*
olijven *4.6, 10.2*	оливки	*aliefkie*
oma *3.1, 14.5*	бабушка	*baboesjka*
omelet *4.7*	омлет	*amljet*
omgeving *11.1*	окрестность	*akresnast*
onbeleefd *4.4*	невежливый	*njewjezjliewy*
onder *1.6, 6.3*	под	*pot*
onderbroek *10.3*	трусы (mv)	*troesy*
onderdeel *5.6*	запчасть	*zaptsjast*
ondergoed *10.3*	нижнее бельё	*niezjnəjə bjəljo*
onderjurk *10.3*	комбинация	*kambienatsieja*
ondertekenen *7, 8.1*	подписать	*patpiesat*
ondertiteld *11.2*	с субтитрами	*s soeptietramie*

onderweg *5.0*	в пути	*w poetie*
onderzoeken (medisch) *13.3*	осмотреть	*asmatreet*
ondiep *12.2*	мелкий	*mjelkie*
ongedierte *7.4*	вредители (mv)	*wrədietjəlie*
ongelijk (niet vlak) *7.2*	неровный	*njerowny*
ongeluk *14.1*	несчастный случай	*njessjastny sloetsjaj*
ongerust zijn *14.5*	волноваться	*walnawatsə*
ongesteld: zij is – *13.3*	у неё менструация	*oe njəjo menstroe-atsieja*
ongetrouwd *1.8*	неженатый (незамужняя)	*njezjənaty (njezamoezjnjaja)*
ongeveer	приблизительно	*priebliezietjəlna*
onkosten	расходы	*raschody*
onmiddellijk *14.1*	непосредственный	*njepasretstwəny*
onmogelijk *2.3*	невозможный	*njewazmozjny*
ons (100 g) *10.2*	сто грамм	*sto ĝram*
onschuldig *14.6*	невинный	*njewieny*
ontbijt *7.3, 13.4*	завтрак	*zaftrak*
ontbreken *4.4, 5.2*	нехватать	*njechwatat*
ontharingscrème	средство для удаления волос	*sretstwo dlja oedaleenieja walos*
ontlasting *13.3*	испражнение	*iesprazjneeniejə*
ontmoeten (tegenkomen) *3.1*	встретить	*fstreetiet*
ontmoeten (leren kennen) *3.1*	познакомиться	*paznakomietsə*
ontruimen *7.5*	освободить	*aswabadiet*
ontsmettingsmiddel *10.1, 13.4*	дезинфицирующее средство	*djezienfietsieroejoessjəjə sretstwo*
ontsteking *13.3*	воспаление	*waspaleeniejə*
ontwikkelen *10.4*	проявить	*prajawiet*
ontzettend *2.6, 7.4*	чрезвычайно	*tsjrəzwytsjajna*
onweer *1.5*	гроза	*ĝraza*
onzin *2.6*	ерунда	*jəroenda*
oog *3.9*	глаз	*ĝlas*
oogarts *13*	глазной врач	*ĝlaznoj wratsj*
oogdruppels	глазные капли	*ĝlaznyjə kaplie*
oogschaduw	тени (для глаз)	*tjeenie (dlja ĝlas)*
oor *13.2*	ухо	*oecho*
oorarts *13*	ушной врач	*oesjnoj wratsj*
oorbellen *10.1*	серьги	*seerĝie*
oordruppels *13.4*	ушные капли	*oesjnyjə kaplie*
oorpijn *13.2*	боль в ухе	*bol w oechjə*
oost *1.6*	восток	*wastok*

op *1.6*	на	*na*
opa *3.1, 14.5*	дедушка	*djedoesjka*
opbellen *3.11, 9.2*	позвонить	*pazwaniet*
open *11.1*	открытый	*atkryty*
openen *5.1*	открыть	*atkryt*
opera *11.2*	опера	*opera*
opereren *13.3*	оперировать	*apjərierawat*
operette *11.2*	оперетта	*opjəreta*
opgravingen *11.1*	раскопки	*raskopkie*
ophalen *3.10, 11.3*	забрать	*zabrat*
oplichting *14.6*	жульничество	*zjoelnietsjəstwo*
opnieuw	снова	*snowa*
oponthoud *6.4*	задержка	*zadjersjka*
oprit *5.9*	подьезд	*padjest*
opruimen	убрать	*oebrat*
opruiming *10.1*	уборка	*oeborka*
opschrijven	записать	*zapiesat*
optelling *4.4*	сложение	*slazjeeniejə*
opticien *10*	оптик	*optiek*
opzoeken (in een boek)	смотреть	*smatreet*
oranje	оранжевый	*aranzjəwy*
orde (in –)	в порядке	*w parjatkjə*
orkaan *1.5*	ураган	*oeraĝan*
oud *3.1*	старый	*stary*
ouders *3.1*	родители	*radietjəlie*
overal *1.6*	везде	*wjəzdje*
overdag	днём	*dnjom*
overgeven *13.2*	рвать	*rwat*
overhemd *10.3*	рубашка	*roebasjka*
overkant	другая сторона	*droeĝaja starana*
overmorgen *1.1*	послезавтра	*posləzaftra*
overstappen *6.1, 6.4*	пересесть	*pjerəseest*
oversteken	перейти	*pjerətie*
overstroming *14.3*	наводнение	*nawadneeniejə*
overtocht	переправа	*pjerəprawa*
overval *14.6*	налёт	*naljot*

P

paard	лошадь	*losjət*
paardrijden	ездить на лошади	*jeezdiet na losjədie*
paars	лиловый	*lielawy*

paddestoelen *4.6, 10.2*	грибы	*ĝrieby*
pagina *9.1*	страница	*stranietsa*
pak *10.3*	костюм	*kastjoem*
pak(ket)je *9.1, 10.2*	пакет	*pakjet*
paleis *11.1*	дворец	*dwarjets*
paling *4.6*	угорь	*oeĝar*
pan *7.3, 10.1*	кастрюля	*kastroelja*
pannekoek (flens) *4.6*	блин	*blien*
panty *10.3*	колготки	*kalĝotkie*
papier	бумага	*boemaĝa*
papieren zakdoekje	бумажная салфетка	*boemazjnaja salfjetka*
paprika	сладкий перец	*slatkie pjeerəts*
paraplu	зонтик	*zontiek*
parasol	зонтик	*zontiek*
pardon *2.5, 3.2*	извините	*iezwienietjə*
parfum *10.1*	духи (mv)	*doechie*
park	парк	*park*
parkeergarage	гараж (для стоянки автомобилей)	*ĝarasj (dlja stajankie aftamabieljəj)*
parkeerplaats	стоянка (автомобилей)	*stajanka (aftamabieljəj)*
parkeren *7.2*	поставить машину	*pastawiet masjynoe*
parlementsgebouw	здание парламента	*zdaniejə parlamjənta*
partner *3.1*	партнёр	*partnjor*
pasfoto *12.3*	фотокарточка	*fotokartatsjka*
paskamer *10.3*	примерочная	*priemjeratsjnaja*
paspoort *1.8, 5.1, 8.1*	паспорт	*paspart*
passagier *6.1*	пассажир	*pasazjyr*
passen (kleding) *10.3*	примерить	*priemeeriet*
patat-frites *4.6*	жареная картошка	*zjarənaja kartosjka*
patiënt *13.2*	пациент	*patsie-ent*
pauze *11.2*	перерыв	*pjerərief*
pech (met auto) *5.6*	неудача	*nje-oedatsja*
pedaal *5.4*	педаль	*pjədal*
pedicure *10.5*	педикюр	*pjediekjoer*
peer	груша	*ĝroesja*
pen	ручка	*roetsjka*
penis *13.2*	пенис	*peenies*
pensioen *3.1*	пенсия	*peensieja*
pension *7.3*	пансион	*pansie-on*
peper *4.2, 10.2*	перец	*pjeerəts*
permanent (haar) *10.5*	(химическая) завивка	*(chiemietsjəskaja) zawiefka*

permanenten *10.5*	сделать завивку	*zdjelat zawiefkoe*
perron *6*	платформа	*platforma*
persoon *4.1, 7.2*	человек	*tsjəlawjek*
persoonlijk *5.1*	личный	*lietsjny*
perzik	персик	*pjersiek*
peterselie	петрушка	*pjətroesjka*
petroleum *7.2*	керосин	*kjərasien*
picknick	пикник	*piekniek*
pier	мол	*mol*
pijl *5.0*	стрела	*strəla*
pijn *13.2, 13.5*	боль	*bol*
pijnstiller *13.4*	болеутоляющее средство	*boljə-oetaljajoessjəjə sretstwo*
pijp *10.1*	трубка	*troepka*
pijptabak	трубочный табак	*troebatsjny tabak*
pikant *4.2*	пикантный	*piekantny*
pil, anticonceptie- *13.3*	противозачаточная таблетка	*pratiewazatsjatatsjnaja tabljetka*
pincet	пинцет	*pientset*
pinda's *10.2*	земляные орехи	*zemljənyjə arjechie*
plaats (plek) *7.2*	место	*mjesto*
plaats (zit-) *4.1, 6.1*	место	*mjesto*
plaatselijk *13.6*	местный	*mjestny*
plaatskaarten *11.2*	билеты	*bieljety*
plakband	клейкая лента	*kleejkaja ljenta*
plakken (band) *5.6*	заклеить	*zaklee-iet*
plan *3.7*	план	*plan*
plant	растение	*rastjeeniejə*
plastic	пластмасса	*plastmasa*
plattegrond *11.1*	схема	*schema*
platteland	деревня	*djəreewnja*
plein	площадь	*plossjət*
pleisters	пластыри	*plastyrie*
plezier *2.1*	удовольствие	*oedawolstwiejə*
poedermelk *10.2*	порошковое молоко	*parasjkowajə malako*
poes	кошка	*kosjka*
politie *14.1*	милиция	*mielietsieja*
politiebureau *14.1*	отделение милиции	*adjəleeniejə mielietsie-ie*
pols *13.2*	пульс	*poels*
pond *10.2*	полкило	*polkielo*
pont	паром	*parom*
pony (paard)	пони	*ponie*
pony (kapsel) *10.5*	чёлка	*tsjolka*

pop	кукла	*koekla*
popconcert *11.2*	поп-концерт	*popkantsert*
port (wijn) *4.2, 10.2*	портвейн	*partweejn*
portefeuille *14.2*	бумажник	*boemazjniek*
portemonnee *14.2*	кошелёк	*kasjəljok*
portie *4.2*	порция	*portsieja*
portier (man) *7.3*	швейцар	*sjweejtsar*
porto *9.1*	почтовый сбор	*patsjtowy zbor*
post (PTT) *9.1*	почта	*potsjta*
postbode *9.1*	почтальон	*patsjtaljon*
postcode *1.8*	почтовый индекс	*patsjtowy iendəks*
postkantoor *9.1*	почта	*potsjta*
postpakket *9.1*	посылка	*pasylka*
postpapier	почтовая бумага	*patstowaja boemaĝa*
postzegel *9.1*	марка	*marka*
potlood	карандаш	*karandasj*
praatpaal *5.6*	аварийный телефон	*awariejny tjeləfon*
prachtig *3.8*	прекрасный	*prəkrasny*
praten	говорить	*ĝawariet*
prei	порей	*pareej*
pretpark *11*	парк отдыха (и развлечений)	*park odycha (ie razwlətsjeeniej)*
prijs *4.3, 8.2*	цена	*tsəna*
prijslijst *4.3*	указатель цен	*oekazatjəl tsen*
probleem *3.9*	проблема	*probljema*
proces-verbaal *14.6*	протокол	*pratakol*
proeven *10.1*	попробовать	*paprobawat*
programma *11.1*	программа	*praĝrama*
proost *3.2, 4.2*	за здоровье	*za zdarowjə*
provisorisch *13.5*	временный	*wreemjəny*
pruim	слива	*sliewa*
pudding *4.6*	пудинг	*poedienk*
puur *4.2*	чистый	*tsjiesty*
puzzel	головоломка	*ĝalawalomka*
pyjama	пижама	*piezjama*

R

raam *6.3*	окно	*akno*
radio *7.4*	радио	*radie-o*
radio- en t.v.-gids	программа радио и телепередач	*praĝrama radie-o ie tjeləpjerədatsj*
rauw *4.2*	сырой	*syroj*

rauwkost *4.6*	сырые овощи	*syryjə owassjie*
recept *13.4*	рецепт	*rətsept*
recht (jur)	право	*prawo*
rechtdoor *1.6*	прямо	*prjama*
rechthoek	прямоугольник	*prjamo-oeĝolniek*
rechts *1.6*	правый	*prawy*
rechtsaf	направо	*naprawa*
rechtstreeks *6.4*	прямой	*prjəmoj*
reçu *5.2*	квитанция	*kwietantsieja*
reductie *11.1*	скидка	*skietka*
reformwinkel *10*	магазин натуральных продуктов	*maĝazien natoeralnych pradoektaf*
regen *3.4*	дождь	*dosjt*
regen: het regent *1.5*	идёт дождь	*iedjot dossjt*
regenjas	плащ	*plassj*
reis *2.1*	путешествие	*poetjəsjestwiejə*
reisbureau *6.4*	бюро путешествий	*bjoero poetjəsjestwiej*
reischeque *8.2*	дорожный чек	*darozjny tsjek*
reisgids	путеводитель	*poetjəwadietjəl*
reisleider *6.4*	гид	*ĝiet*
reizen *3.5, 13.3*	путешествовать	*poetjəsjestwawat*
reiziger *6.1*	путешественник	*poetjəsjestwəniek*
rekening *4.3, 5.6, 8.2*	счёт	*ssjot*
rem *5.4*	тормоз	*tormas*
remolie *5.4*	тормозная жидкость	*tarmaznaja zjytkast*
remvloeistof *5.5*	тормозная жидкость	*tarmaznaja zjytkast*
reparatie *5.6*	ремонт	*rəmont*
repareren *5.6, 10.3, 13.5*	починить	*patsjieniet*
reserve *5.6*	запас	*zapas*
reserve-onderdelen *5.6*	запчасти	*zaptsjastie*
reserveband *5.6*	запасная шина	*zapasnaja sjyna*
reserveren *4.1, 6.3, 7.1, 11.3*	заказать	*zakazat*
reservewiel *5.4*	запасное колесо	*zapasnojə kaljəso*
restaurant *4.1*	ресторан	*rəstaran*
restauratiewagen *6*	вагон-ресторан	*waĝon-rəstaran*
retour (kaartje) *6.3*	(билет) туда и обратно	*(bieljet) toeda ie abratna*
reumatiek *13.3*	ревматизм	*rəwmatiezm*
richting *6.7*	направление	*naprawleeniejə*
richtingaanwijzer *5.6*	указатель поворота	*oekazatjəl pawarota*
riem (kleding) *10.3*	ремень	*reemjən*

rietje *4.2*	соломинка	*salomienka*
rijbewijs *1.8, 5.8*	водительские права	*wadietjəlskiejə prawa*
rijden (in auto) *3.7*	ехать	*jechat*
rijp *10.2*	зрелый	*zrely*
rijst	рис	*ries*
rijstrook *5.3*	полоса движения	*palasa dwiezjeenieja*
rijweg *5.3*	дорога	*daroĝa*
risico *3.9*	риск	*riesk*
rits	молния	*molnieja*
rivier	река	*reka*
rode wijn *4.2, 10.2*	красное вино	*krasnajə wieno*
roeiboot *12.2*	гребная лодка	*ĝrəbnaja lotka*
roerei *4.6*	яичница	*ja-ietsjnietsa*
rok *10.3*	юбка	*joepka*
roken *3.6, 6.3*	курить	*koeriet*
rolletje (foto-) *10.4*	плёнка	*pljonka*
rolstoel *11.1*	инвалидное кресло	*ienwaliednajə kreslo*
rommelmarkt *10*	барахолка	*baracholka*
rondleiding *11.1*	экскурсия	*ekskoersieja*
rondrit *11.1*	прогулка	*praĝoelka*
rondvaartboot *11.1*	прогулочный катер	*praĝoelatsjny katjər*
rood	красный	*krasny*
rook	дым	*dym*
rookcoupé *6.3*	купе для курящих	*koepe dlja koerjassjiech*
room	сливки	*sliefkie*
roomservice *7.3*	обслуживание в номере	*apsloezjywaniejə w nomjərjə*
roos (bloem) *10.5*	роза	*roza*
rosé *4.2, 10.2*	розовое вино	*rozawajə wieno*
rotonde *5.9*	площадь с круговым движением	*plossjət s kroeĝawym dwiezjeeniejəm*
rots *12.2*	скала	*skala*
route	маршрут	*marsjroet*
rozijnen	изюм	*iez-joem*
rubber	каучук	*ka-oetsjoek*
rug *13.2*	спина	*spiena*
rugzak *5.1, 5.2*	рюкзак	*rjoeĝzak*
rugzak (met draagstel) *5.1, 5.2*	станковый рюкзак	*stankowy rjoeĝzak*
ruilen *10.1*	обменять	*abmjənjat*
ruïnes *11.1*	развалины	*razwalieny*
ruit *5.5*	стекло	*stjəklo*
ruitenwisser *5.6*	дворник	*dworniek*
rundvlees	говядина	*ĝawjadiena*
rustig *7.2, 12.2*	спокойный	*spakojny*

S

saai *2.6*	скучный	*skoesjny*
safari *11.1*	сафари	*safarie*
salade *4.6*	салат	*salat*
salami	салями	*saljamie*
samen *3.7*	вместе	*wmeestjə*
samenwonen *3.1*	жить совместно	*zjiet sawmjestna*
sap *4.2, 10.2*	сок	*sok*
sardines	сардины	*sardieny*
sauna	сауна	*sauna*
saus *4.6*	соус	*so-oes*
schaar *10.1*	ножницы (mv)	*nozjnietsy*
schaatsen	коньки	*kankie*
schaduw *7.2*	тень	*tjeen*
schakelaar	включатель	*fkloetsjatjəl*
schaken *3.7*	играть в шахматы	*ieĝrat w sjachmaty*
scheerapparaat	электробритва	*elektrabrietwa*
scheercrème	крем для бритья	*krjem dlja brietja*
scheerkwast	помазок для бритья	*pamazok dlja brietja*
scheermesjes	(бритвенные) лезвия	*(brietwənyjə) leezwieja*
scheerzeep	мыло для бритья	*mylo dlja brietja*
scheren *10.5*	побрить	*pabriet*
schilderij *11.1*	картина	*kartiena*
schilderkunst *11.1*	живопись	*zjywapies*
schoen *10.3*	туфля	*toeflja*
schoenenwinkel *10*	обувной магазин	*aboewnoj maĝazien*
schoenmaker *10.3*	ремонт обуви	*rəmont oboewie*
schoensmeer *10.3*	гуталин	*ĝoetalien*
school *3.1*	школа	*sjkola*
schoon *4.4*	чистый	*tsjiesty*
schoonheidssalon *10*	косметический салон	*kasmjətietjəskie salon*
schoonmaken *7.4*	почистить	*patsjiestiet*
schorpioen *13.2*	скорпион	*skarpie-on*
schouder	плечо	*plətsjo*
schouwburg *11.2*	театр	*te-atr*
schriftelijk *7.1*	письменный	*piesmjəny*
schrijven *3.11*	писать	*piesat*
schroef *5.6, 10.1*	винт	*wient*
schroevedraaier	отвёртка	*atwjortka*
schuld *2.5*	вина	*wiena*
scooter *5.8*	мотороллер	*mataroljər*
seconde *1.3*	секунда	*səkoenda*
september *1.1*	сентябрь	*səntjabr*

serveerster *4.1*	официантка	*afietsantka*
servet *4.2*	салфетка	*salfjetka*
shag *3.6*	папиросный табак	*papierosny tabak*
shampoo *10.5*	шампунь	*sjampoen*
sherry *4.2, 10.2*	херес	*cheeres*
show *11.2*	шоу	*sjo-oe*
sieraden *10.1, 14.2, 14.4*	драгоценности	*draĝatsenastie*
sigaar *3.6*	сигара	*sieĝara*
sigarenwinkel *10*	табачная лавка	*tabatsjnaja lafka*
sigaret *3.6, 5.1*	сигарета	*sieĝarjeta*
sinaasappel	апельсин	*apjəlsien*
sinaasappelsap *4.7*	апельсиновый сок	*apjəlsienawy sok*
sjaal *10.3*	шаль	*sjal*
ski's *12.3*	лыжи	*lyzjy*
skibril *12.3*	лыжные очки	*lyzjnyjə atsjkie*
skibroek *12.3*	лыжные брюки	*lyzjnyjə brjoekie*
skiën *12.3*	кататься на лыжах	*katatsə na lyzjach*
skileraar *12.3*	инструктор по лыжному спорту	*ienstroektar pa lyzjnamoe sportoe*
skiles *12.3*	занятия по лыжному катанию	*zanjatieja pa lyzjnamoe kataniejoe*
skilift *12.3*	(лыжный) подьёмник	*(lyzjny) padjomniek*
skipak *3.8*	лыжный костюм	*lyzjny kastjoem*
skipiste *12.3*	горнолыжная трасса	*ĝornalyzjnaja trasa*
skischoenen *12.3*	лыжные ботинки	*lyzjnyjə batienkie*
skistok *12.3*	лыжная палка	*lyzjnaja palka*
skiwas *12.3*	лыжный воск	*lyzjny wosk*
slaappillen *13.4*	снотворные таблетки	*snatwornyjə tabljetkie*
slaapwagen *6.3*	спальный вагон	*spalny waĝon*
slagader *13.2, 14.3*	артерия	*artjeerieja*
slager *10*	мясной магазин	*mjəsnoj maĝazien*
slagroom (stijf)	взбитые сливки (mv)	*wzbietyjə sliefkie*
slagroom	сливки (mv)	*sliefkie*
slang *3.2*	змея	*zmeeja*
slaolie *10.2*	растительное масло	*rastietjəlnaja maslo*
slapen *6.1, 7.4*	спать	*spat*
slecht *1.5, 2.6, 9.2*	плохой	*plachoj*
slee *12.3*	сани (mv)	*sanie*
sleepkabel *5.6*	буксир	*boeksier*
slepen *5.6*	взять на буксир	*wz-jat na boeksier*
sleutel(tje) *5.6, 7.3*	ключ (ик)	*kloetsj(iek)*
sleutelbeen *13.2*	ключица	*kloetsjietsa*

slijter *10*	винный магазин	*wieny maĝazien*
slipje *10.3*	трусики (mv)	*troesiekie*
slof (sigaretten)	блок	*blok*
slot (deur-) *7.4*	замок	*zamok*
sluiter *10.4*	затвор	*zatwor*
smerig *4.4, 7.4*	грязный	*ĝrjazny*
smoking	смокинг	*smokienk*
sneeuw *1.5, 3.4*	снег	*snjek*
sneeuwen: het sneeuwt *1.5, 3.4*	идёт снег	*iedjot snjek*
sneeuwketting *5.6, 10.1*	цепь противоскольжения	*tseep pratiewaskalzjeenieja*
snel *3.9, 4.2, 13.1*	быстрый	*bystry*
sneltrein *6*	скорый поезд	*skory pojəst*
snelweg *5.3*	автострада	*aftastrada*
snijden *13.2*	резать	*rjezat*
snoep(goed)	конфеты (mv)	*kanfjety*
snoepje	конфетка	*kanfjetka*
snorkel *12.2*	шнорхель	*sjnorchəl*
soep *4.6*	суп	*soep*
sokken *10.3*	носки	*naskie*
soms *3.1*	иногда	*ienaĝda*
soort *4.2*	сорт	*sort*
sorbet *4.6*	шербет	*sjərbjet*
sorry *2.5*	извини(те)	*iezwienie(tjə)*
souvenir *5.1*	сувенир	*soewjənier*
spaghetti	спагетти	*spaĝjetie*
specialist *13.3*	специалист	*spetsie-aliest*
specialiteit *4.2*	специальность	*spetsie-alnast*
speelgoed	игрушка	*ieĝroesjka*
speelkaarten	(игральные) карты	*(ieĝralnyjə) karty*
speeltuin *7.2, 11.1*	детская площадка	*djetskaja plassjatka*
speen (op fles)	соска	*soska*
speen (fop-)	пустышка	*poestysjka*
spek	сало	*salo*
speld	булавка	*boelafka*
spelen *3.8, 11.2*	играть	*ieĝrat*
spellen *1.9*	сказать по буквам	*skazat pa boekwam*
spelletje	игра	*ieĝra*
spiegel	зеркало	*zerkalo*
spiegelei *4.6*	(яичница-)глазунья	*(ja-ietsjnietsa-) ĝlazoenja*
spier verrekken *13.3*	растянуть мышцу	*rastjənoet mysjtsoe*
spier	мышца	*mysjtsa*

spijker *10.1*	гвоздь	*ĝwost*
spijkerbroek	джинсы	*dzjynsy*
splinter *13.2*	заноза	*zanoza*
spoed *6.4, 9.2, 14.1*	поспешность	*paspjesjnast*
spoor (perron) *6.1*	платформа	*platforma*
spoorboekje *6*	расписание поездов	*raspiesanieјə pajəzdof*
spoorwegen *6*	железные дороги	*zjəljeznyjə daroĝie*
spoorwegovergang	железнодорожный переезд	*zjəljeznadarozjny pjerəjest*
sport *12.1*	спорт	*sport*
sporten *3.5*	заниматься спортом	*zaniematsə sportam*
sporthal	спортивный зал	*spartiewny zal*
sportschoenen	кроссовки	*krasofkie*
spreekuur *13.1*	приёмные часы (mv)	*priejomnyjə tsjəsy*
spreken *9.2*	говорить	*ĝawariet*
spruitjes	брюссельская капуста	*brjoeseelskaja kapoesta*
spullen	вещи	*weessjie*
squashen *12.1*	играть в сквош	*ieĝrat w skwosj*
staal (roestvrij)	сталь	*stalj*
stad *3.1, 3.7, 9.2, 11.1*	город	*ĝorat*
stadhuis	ратуша	*ratoesja*
stadion	стадион	*stadie-on*
stadswandeling *11.1*	прогулка по городу	*praĝoelka pa ĝoradoe*
staking *6.1*	забастовка	*zabastofka*
standbeeld	памятник	*pamjətniek*
stank	вонь	*wonj*
starten *5.6*	завести	*zawjəstie*
startkabel *5.6*	электропровод (для присоединения к аккумулятору другой машины)	*elektraprawot (dlja priesajedieneenieja k akoemoeljataroe droeĝoj masjyny)*
station *6.1, 6.6*	вокзал	*waĝzal*
steeksleutel *5.6*	вилочный ключ	*wielatsjny kljoetsj*
steil (haar) *14.5*	прямые	*prəmyjə*
steken (insekt) *13.2*	жалить	*zjaliet*
stelen *14.4*	украсть	*oekrast*
stilte	тишина	*tiesjyna*
stinken *4.4, 7.4*	вонять	*wanjat*
stoel *4.1*	стул	*stoel*
stokbrood	батон	*baton*
stomen	почистить	*patsjiestiet*
stomerij *10*	(хим) чистка	*(chiem)tsjiestka*
stopcontact *4.1, 7*	розетка	*razetka*

stoppen *5.3, 5.9, 6.1*	остановить	*astanawiet*
stoptrein *6*	пассажирский поезд	*pasazjyrskie pojəst*
storen *2.5*	помешать	*pamjəsjat*
storing *7.4*	неисправность	*nje-iesprawnast*
storm *3.4*	буря	*boerja*
stormen *1.5*	бушевать	*boesjəwat*
straat *1.8, 6.6*	улица	*oelietsa*
straatkant *7.3*	выходящий на улицу	*wychadjassjie na oelietsoe*
straks *2.1, 3.7*	потом	*patom*
strand *3.7, 12.2*	пляж	*pljasj*
strandstoel	шезлонг	*sjezlonk*
streek (regio) *9.2*	область	*oblast*
strijkbout *10.1*	утюг	*oetjoek*
strijken	гладить	*ĝladiet*
strijkplank *7.3*	гладильная доска	*ĝladielnaja daska*
stroming *12.2*	течение	*tjətsjeeniejə*
stroom (elektr) *7.4*	ток	*tok*
stroomversnelling *12.2*	быстрина	*bystriena*
stroop	патока	*patoka*
stropdas *10.3*	галстук	*ĝalstoek*
studeren *3.1*	учиться	*oetsjietsə*
stuk (kapot) *7.4*	сломанный	*slomany*
suiker *4.2*	сахар	*sachar*
suikerpatiënt *13.3*	диабет	*die-abjet*
super (benzine) *5.5*	бензин высшего качества	*bjənzien wysjəwa katsjəstwa*
supermarkt *10*	универсам	*oeniewjərsam*
surfen *12.2*	заниматься сёрфингом	*zaniematsə s-jorfienĝam*
surfpak *12.2*	костюм для сёрфинга	*kastjoem dlja s-jorfienĝa*
surfplank *12.2*	доска для сёрфинга	*daska dlja s-jorfienĝa*
s.v.p.	пожалуйста	*pazjalsta*
synagoge	синагога	*sienaĝoĝa*

T

taai *4.4*	жёсткий	*zjostkie*
taal *12.3*	язык	*jəzyk*
taart	торт	*tort*
tabak	табак	*tabak*

tablet *13.4*	таблетка	*tabljetka*
tafel *11.3*	стол	*stol*
tafeltennissen *3.7*	играть в настольный теннис	*iegrat w nastolny tjenies*
talkpoeder	тальковая пудра	*talkawaja poedra*
tampons	тампон	*tampon*
tand *3.6*	зуб	*zoep*
tandarts *13.5*	зубной врач	*zoebnoj wratsj*
tandenborstel	зубная щётка	*zoebnaja ssjotka*
tandenstoker *4.2*	зубочистка	*zoebatsjiestka*
tandpasta	зубная паста	*zoebnaja pasta*
tas (klein) *5.1, 5.2*	сумочка	*soematsjka*
tas (groot) *5.1, 5.2*	сумка	*soemka*
tasje (plastic) *10.1*	пакет	*pakjet*
taxfreewinkel *6.5*	магазин беспошлинной торговли	*maĝazien bjesposjlienəj tarĝowlie*
taxi *6.6*	такси	*taksie*
taxistandplaats *6.6*	стоянка такси	*stajanka taksie*
teen	палец	*paljəts*
tegen *1.6, 10.5*	против	*protief*
tegenligger *14.6*	встречный автомобиль	*fstreetsjny aftamabiel*
tegenover *1.6*	напротив	*naprotief*
tekenen (signeren) *8.1*	подписать	*patpiesat*
telefoneren *7.1, 9.2*	позвонить	*pazwaniet*
telefonisch *9.2*	по телефону	*pa tjeləfonoe*
telefoniste *9.2*	телефонистка	*tjeləfaniestka*
telefoon *9.2, 14.1*	телефон	*tjeləfon*
telefooncel *5.6*	телефонная будка	*tjeləfonaja boetka*
telefoongids *9.2*	телефонная книга	*tjeləfonaja knieĝa*
telefoonnummer *3.11, 14.1*	телефонный номер	*tjeləfony nomjər*
telegram *9.1*	телеграмма	*tjeləĝrama*
telelens *10.4*	телеобъектив	*tjelə-abjektief*
televisie *7.4*	телевизор	*tjeləwiezar*
telex *9.1*	телекс	*tjeeləks*
telkens	постоянно	*pastajana*
temperatuur *10.3, 12.2*	температура	*tjempəratoera*
tennisbaan *12.1*	теннисная площадка	*tjeniesnaja plassjatka*
tennisbal *12.1*	теннисный мяч	*tjeniesny mjatsj*
tennisracket *12.1*	теннисная ракетка	*tjeniesnaja rakjetka*
tennissen *12.1*	играть в теннис	*iegrat w tjenies*

tent *7.2*	палатка	*palatka*
tentoonstelling *11.1*	выставка	*wystafka*
terras *4.1*	терасса	*tjərasa*
teruggaan	вернуться	*wjərnoetsə*
terugkomen *13.3*	вернуться	*wjərnoetsə*
te veel *4.3, 4.5, 10.2*	слишком много	*sliesjkam mnoĝa*
tevreden *2.6, 3.8*	довольный	*dawolny*
theater *11.2*	театр	*te-atr*
theatervoorstelling *11.2*	театральное представление	*te-atralnajə prətstawleeniejə*
thee *4.7*	чай	*tsjaj*
theelepel *4.2*	чайная ложка	*tsjajnaja losjka*
theepot *7.3*	чайник	*tsjajniek*
thermisch bad	термическая ванна	*tjərmietsjəskaja wana*
thermometer	термометр	*tjərmomjetr*
thuis *3.10*	дома	*doma*
ticket *6.4*	билет	*bieljet*
tijd *3.2*	время	*wreemja*
tijdens *13.4*	во время	*wawreemja*
tijdschrift	журнал	*zjoernal*
toast *4.7*	тост	*tost*
tochtje (uitstapje) *11.1*	поездка	*pajestka*
tocht *3.7*	поездка	*pajestka*
tochten *7.4*	сквозить	*skwaziet*
toegang *11.1*	вход	*wchot*
toegangsprijs *11.1*	входная плата	*wchadnaja plata*
toeristenkaart *5.1*	туристическая карта	*toeriestietjəskaja karta*
toeristenklasse	туристский класс	*toeriestskie klas*
toeristenmenu *4.2*	меню для туристов	*mjənjoe dlja toeriestaf*
toeslag *6.2*	доплата	*daplata*
toilet *4.1, 7.3*	туалет	*toe-aljet*
toiletartikelen	туалетные принадлежности	*toe- aljetnyjə prienadljezjnastie*
toiletpapier *4.4, 7.4*	туалетная бумага	*toe-aljetnaja boemaĝa*
tolk *14.6*	переводчик	*pjerəwotsjiek*
tomaat	помидор	*pamiedor*
tomatenketchup *4.2, 10.2*	(томатный) кетчуп	*(tamatny) kjetsjoep*
tomatenpuree *10.2*	томатный пюре	*tamatny pjoere*
toneel *11.2*	сцена	*stsena*
toneelstuk	пьеса	*pjesa*
tong (vis) *4.6*	морской язык	*marskoj jəzyk*
tong	язык	*jəzyk*
tonic *4.2, 10.2*	тоник	*toniek*

tonijn *4.6, 10.2*	тунец	*toenjets*
toost *4.6*	тост	*tost*
toren	башня	*basjnja*
totaal *1.4*	общий	*opssjie*
touw *5.6, 10.1*	верёвка	*wjərjofka*
trap *7.4*	лестница	*leesnietsa*
trein *6.1*	поезд	*pojəst*
treinkaartje *6*	билет (на поезд)	*bieljet (na pojəst)*
trekken (kies) *13.5*	удалить	*oedaliet*
trektocht *11.1*	поход	*pachot*
trottoir	тротуар	*tratoe-ar*
trouwen (voor een man) *3.1*	жениться	*zjənietsə*
trouwen (voor een vrouw) *3.1*	выйти замуж	*wyjtie zamoesj*
trui *10.3*	свитер	*swietjər*
tube *10.2*	тюбик	*tjoebiek*
tuin	сад	*sat*
tunnel	туннель	*toeneel*
tussenlanding *6.4*	промежуточная посадка	*pramjəzjoetatsjnaja pasatka*
tv	телевизор	*tjeləwiezar*
tweede *1.4*	второй	*ftaroj*
tweedehands *10.1*	подержанный	*padjerzjany*
tweepersoons *7.3*	двухместный	*dwoechmjestny*

U

u	вы	*wy*
ui	лук	*loek*
uiterlijk (niet later dan)	не позже	*njə pozjə*
uitgaan *3.7, 11.2*	прогуляться	*praĝoeljatsə*
uitgaansgelegen-heid *11.2*	место для развлечений	*mjesto dlja razwlətsjeeniej*
uitgang	выход	*wychat*
uitkleden *13.3*	раздеть	*razdjeet*
uitleggen	объяснить	*abjəsniet*
uitnodigen *3.7*	пригласить	*prieĝlasiet*
uitrusten	отдохнуть	*adachnoet*
uitslag	результат	*rəzoeltat*
uitspreken	произнести	*pra-ieznjəstie*
uitstapje *11.1*	экскурсия	*ekskoersieja*

uitstappen *5.9, 6.6*	выйти	*wyjtie*
uitstekend *2.1*	отличный	*atlietsjny*
uitverkoop *10.1*	распродажа	*raspradazja*
uitwendig *13.4*	внешний	*wnjesjnie*
uitzicht *7.3*	вид	*wiet*
universiteit	университет	*oeniewjərsietjet*
urine *13.3*	моча	*matsja*
uur *1.3*	час	*tsjas*

V

vaas *10.1*	ваза	*waza*
vader *3.1*	отец	*atjets*
vagina *13.2*	влагалище	*wlaĝaliessjə*
vaginale infectie *13.2*	влагалищная инфекция	*wlaĝaliessjnaja ienfjektsieja*
vakantie *2.1*	отпуск	*otpoesk*
vallei	долина	*dalièna*
vallen *13.2, 14.3*	упасть	*oepast*
vanavond *1.1, 3.7*	сегодня вечером	*səwodnjə weetsjəram*
vandaag *1.1, 3.7*	сегодня	*səwodnjə*
vanille *4.2*	ваниль	*waniel*
vanmiddag *1.1, 3.7*	сегодня днём	*səwodnjə dnjom*
vanmorgen *1.1, 3.7*	сегодня утром	*səwodnjə oetram*
vannacht (komende nacht) *1.1, 3.7*	сегодня ночью	*səwodnjə notsjoe*
vannacht (afgelopen nacht) *1.1*	прошлой ночью	*prosjləj notsjoe*
varkensvlees *4.2*	свинина	*swieniena*
vaseline	вазелин	*wazəlien*
veel	много	*mnoĝa*
vegetariër *4.2*	вегетарианец	*weĝetarie-anjəts*
veilig *12.2*	безопасный	*bjezapasny*
veiligheidsspeld	английская булавка	*anĝlieskaja boelafka*
verantwoordelijk	ответственный	*atwjetstwəny*
verband *13.4*	бинт	*bient*
verbandgaas *10.1*	марля	*marlja*
verbinding *6.1*	связь	*swjas*
verblijf *7.3*	пребывание	*prəbywaniejə*
verboden *12.2*	запрещён	*zaprəssjon*
verdieping *7.3*	этаж	*etasj*
verdoven *13.6*	обезболить	*abjezboliet*
verdrietig *2.6*	грустный	*ĝroestny*

verdwalen *14.5*	заблудиться	*zabloedietsə*
verf *10.1*	краска	*kraska*
vergeten *4.4, 13.4, 14.2*	забыть	*zabyt*
vergissen (zich)	ошибиться	*asjybietsə*
vergissing *4.4*	ошибка	*asjypka*
verguld (met goud bedekt)	позолоченный	*pazalotsjəny*
vergunning *12.1, 12.2*	разрешение	*razrəsjeeniejə*
verhuren *5, 7*	сдать (внаём)	*zdat (wnajom)*
verjaardag *3.3*	день рождения	*djeen razjdjeenieja*
verkeer *5*	движение	*dwiezjeeniejə*
verkeerd *2.3*	неправильный	*njeprawielny*
verkeerslicht	светофор	*swətafor*
verkoopster *10*	продавщица	*pradafssjietsa*
verkoudheid *13.2*	насморк	*nasmark*
verkrachting *14.6*	изнасилование	*ieznasielawaniejə*
verliefd zijn op *3.9*	влюблён (влыблена)	*wloebljon (wloebljəna)*
verlies *14.2*	потеря	*patjeerja*
verliezen *14.2*	потерять	*patjərjat*
vermissing (voorwerp)	пропажа	*prapazja*
vermissing (persoon) *14.6*	изчезновение	*iessjəznaweeniejə*
verpleegster *13*	медсестра	*mjetsəstra*
verplicht *11.2*	обязательный	*abjəzatjəlny*
verrassing	сюрприз	*soerpries*
vers *4.4, 4.7*	свежий	*swezjy*
verschonen (baby)	перепеленать	*pjerəpjelənjat*
versieren (iem) *3.9*	кадрить	*kadriet*
versleten *7.4*	поношенный	*panosjəny*
versnelling *5.4*	передача	*pjerədatsja*
verstaan *2.5, 9.2*	расслышать	*raslysjat*
versturen *9.1*	отправить	*atprawiet*
vertalen *3, 14*	перевести	*pjerəwjəstie*
vertraging *6.1*	задержка	*zadjersjka*
vertrek *7.5*	отъезд	*atjest*
vertrekken *3.1, 7.5, 6.1, 11.1*	уехать	*oejechat*
vertrektijd *6.4*	время отправления	*wreemja atprawleenieja*
vervelen, zich *2.6*	скучать	*skoetsjat*
verversen (olie) *5.5*	сменить	*smjəniet*
verwachting (in) *6, 13*	беременная	*bjəreemjənaja*
verwarming *7.3, 7.4*	отопление	*atapleeniejə*
ver weg *1.6*	далёкий	*daljokie*

verwisselen *5.6*	заменить	*zamjəniet*
verzekering *5.6, 5.8, 14.3*	страхование	*strachawaniejə*
verzilverd	посеребрённый	*paserəbrjony*
verzwikken *13.2*	вывихнуть	*wywiechnoet*
vest *10.3*	жилет	*zjyljet*
vet *4.2, 10.5*	жирный	*zjyrny*
veter *10.3*	шнурок	*sjnoerok*
via *1.6*	через	*tsjeerəs*
viaduct *5.0*	виадук	*wie-adoek*
videoband *10.4*	видеоплёнка	*wiede-opljonka*
videorecorder	видеомагнитофон	*wiede-omaĝnietafon*
vierkant	квадратный	*kwadratny*
vierkante meter	квадратный метр	*kwadratny mjetr*
vies *2.6, 7.4*	грязный	*ĝrjazny*
vijver	пруд	*proet*
vinden *14.2*	найти	*najtie*
vinger *13.2*	палец	*paljəts*
vis *4.2*	рыба	*ryba*
visite *3.7*	гости (**mv**)	*ĝostie*
vissen *3.5, 12.2*	ловить рыбу	*lawiet ryboe*
visum *5.1*	виза	*wieza*
vitamine *10.1*	витамин	*wietamien*
vitaminetabletten	таблетки витамина	*tabljetkie wietamiena*
vla	крем	*krjem*
Vlaamse *3.1*	фламандка	*flamantka*
Vlaanderen *3.1*	фландрия	*flandrieja*
vlag *12.2*	флаг	*flak*
Vlaming *3.1*	фламандец	*flamandjəts*
vlees *4.2*	мясо	*mjaso*
vleeswaren *4.7*	мясные изделия	*mjəsnyjə iezdjeelieja*
vlek	пятно	*pjətno*
vlekkenmiddel *10.1*	пятновыводитель	*pjətnawywadietjəl*
vlieg *7.4*	муха	*moecha*
vliegen (vliegtuig) *6.5*	лететь	*ljətjeet*
vliegtuig *6.4*	самолёт	*samaljot*
vliegveld *6.5, 6.6*	аэропорт	*a-eraport*
vloed *12.2*	прилив	*prielief*
vloei (-papier)	промокашка	*pramakasjka*
vlooienmarkt *10.1, 11.1*	барахолка	*baracholka*
vlucht *6.3*	полёт	*paljot*
vluchtnummer *6.5*	рейс	*reejs*
vlug	быстрый	*bystry*

voedsel *10.1*	пища	*piessja*
voedselvergiftiging *13.3*	пищевое отравление	*piessjəwojə atrawleeniejə*
voelen *13.2*	чувствовать	*tsjoestwawat*
voet *13.2*	нога	*naĝa*
voetballen, het *12.1*	играть в футбол	*ieĝrat w foetbol*
voetbalwedstrijd *11.2*	футбольный матч	*foetbolny matsj*
vol *5.5*	полный	*polny*
volgen *5.0*	последовать	*pasledawat*
volgende *1.1, 2.13.7.*	следующий	*sledoejoessjie*
volkoren *10.2*	из муки грубого помола	*ies moekie ĝroebawa pamola*
volkorenbrood *10.1*	хлеб грубого помола	*chljep ĝroebawa pamola*
volleyballen *3.7, 12.1*	играть в волейбол	*ieĝrat w walejbol*
voor *1.6, 13.4*	перед	*pjeerət*
vooraan *11.3*	впереди	*fpjerədie*
voorbehoedmiddel *10.1, 13.2*	противозачаточное средство	*pratiewazatsjatatsjnajə sretstwo*
voorhoofd *13.2*	лоб	*lop*
voorin *6.3*	впереди	*fpjerədie*
voorkeur *2.6*	предпочтение	*prətpatsjtjeeniejə*
voorrang *5*	преимущество	*prə-iemoesjəstwo*
voorstellen, zich (aan) *3.1*	представиться	*prətstawietsə*
voorstellen, zich (iets)	представить себе	*prətstawiet səbje*
voorstelling *11.2, 11.3*	представление	*prətstawleeniejə*
voortreffelijk *4.5*	великолепный	*wjəliekaljepny*
voorzichtig *14.1*	осторожный	*astarozjny*
vorig *1.1*	прошлый	*prosjly*
vork *4.2*	вилка	*wielka*
vouwwagen *7.2*	складная коляска	*skladnaja kaljaska*
vraag *2.2*	вопрос	*wapros*
vrachtwagen *5.8*	грузовик	*ĝroezawiek*
vragen (verzoeken) *3.2*	просить	*prasiet*
vragen *2.2*	спросить	*sprasiet*
vriend *3.1*	друг	*droek*
vriendelijk *2.4*	любезный	*loebjezny*
vriendin *3.1*	подруга	*padroeĝa*
vriezen *1.5*	морозить	*maroziet*
vrij *1.1, 3.7, 4.1, 6.1, 11.1*	свободный	*swabodny*
vrijdag *1.1*	пятница	*pjatnietsa*
vrije tijd *3.5*	свободное время	*swabodnajə wreemja*

vrijen *3.9*	миловаться	*mielawatsə*
vrijgezel *3.1*	холостяк	*chalastjak*
vroeg *1.3*	рано	*rana*
vrouw (echtgenoot) *3.1*	жена	*zjəna*
vrouw	женщина	*zjeenssjiena*
vrouwenarts *13*	гинеколог	*ĝienjəkolak*
vruchtensap *4.7*	фруктовый сок	*froektowy sok*
vuil *4.4, 7.4*	грязный	*ĝrjazny*
vuilniszak *10.1*	мусорный мешок	*moesarny mjəsjok*
vulkaan	вулкан	*woelkan*
vullen (kies) *13.5*	пломблировать	*plambierawat*
vulling (kies) *13.5*	пломба	*plomba*
vulling *10.2*	начинка	*natsjienka*
vuur	огонь	*aĝon*
vuurtje *12.2*	огонёк	*aĝanjok*
vuurtoren	маяк	*majak*
VVV-kantoor *11.1*	туристическое бюро	*toeriestietsjəkajə bjoero*

W

waar? *2.2*	где?	*ĝdje?*
waarom? *2.2*	почему?	*patsjəmoe?*
waarschijnlijk *3.1*	наверно	*nawjerna*
waarschuwen *5.6, 14.1*	предупредить	*prədoeprədiet*
waarschuwing *1.7, 14*	предупреждение	*prədoeprəzjdjeeniejə*
wachten *3.11, 4.1, 5.6, 6.4, 9.2*	ждать	*zjdat*
wachtkamer *13.3*	зал ожидания	*zal azjydanieja*
wagon *6.6*	вагон	*waĝon*
wakker	проснувшись	*prasnoefsjys*
wandelen *3.5*	гулять	*ĝoeljat*
wandeling	прогулка	*praĝoelka*
wandelroute *11.1*	прогулочный маршрут	*praĝoelatsjny marsjroet*
wandelsport	пешеходный туризм	*pjesjəchodny toeriezm*
wanneer? *2.2*	когда?	*kaĝda?*
warenhuis *10*	универмаг	*oeniewjərmak*
warm *1.5*	тёплый	*tjoply*
was (wasgoed) *7.2, 7.3*	бельё	*bjəljo*
wasknijper *7.2, 7.3*	прицепка	*prietsepka*
waslijn *7.2, 7.3*	бельевая верёвка	*bjeljəwaja wjərjofka*
wasmachine *7.2*	стиральная машина	*stieralnaja masjyna*

wasmiddel *10.1*	моечное средство	*mojətsjnajə sretstwo*
wassen *7.2, 10.3, 10.5*	стирать	*stierat*
wasserette	прачечная	*pratsjətsjnaja*
wat? *2.2*	что?	*sjto?*
water *4.2, 5.4, 12.2*	вода	*wada*
waterdicht *7.2*	водонепроницаемый	*wadanjepranietsajəmy*
watergolven *10.5*	сделать завивку	*zdjelat zawiefkoe*
waterskiën	кататься на водных лыжах	*katatsə na wodnych lyzjach*
waterval *12.2*	водопад	*wadapat*
watten	вата	*wata*
w.c. *7.2, 7.3*	туалет	*toe-aljet*
wedstrijd *11.1*	соревнование	*sarəwnawaniejə*
weduwe *3.1*	вдова	*wdawa*
weduwnaar *3.1*	вдовец	*wdawjets*
week *1.1, 2.1*	неделя	*njədjeelja*
weekabonnement *6.3*	абонемент на неделю	*abonjəmjent na njədjeeljoe*
weekend *3.10*	выходные (дни)	*wychadnyjə (dnie)*
weekenddienst: hij heeft *13.1*	в эти выходные он работает	*weetie wychadnyjə on rabotajət*
weer, het *1.5, 3.4*	погода	*paĝoda*
weerbericht *1.5*	прогноз погоды	*praĝnos paĝody*
weg (zn) *5.0*	дорога	*daroĝa*
weg (kwijt) *14.2*	потерянный	*patjeerjəny*
wegenwacht *5.6*	техпомощь	*tjechpomassj*
weinig	мало	*mala*
wekken *7.3*	разбудить	*razboediet*
wekker *7.3, 10.1*	будильник	*boedielniek*
welk? *2.2*	какой?	*kakoj?*
welkom *3.11*	добро пожаловаться	*dobra pazjalawatsə*
welterusten *2.1*	спокойной ночи	*spakojnəj notsjie*
werk *3.1*	работа	*rabota*
werkdag *1.1*	рабочий день	*rabotsjie djeen*
werkloos *3.1*	безработный	*bjəzrabotny*
wesp *7.4, 13.2*	оса	*asa*
west *1.6*	запад	*zapat*
weten *2.3, 2.5*	знать	*znat*
wie? *2.2*	кто?	*kto?*
wiel *5.4, 5.7*	колесо	*kaljəso*
wij	мы	*my*
wijn *4.2*	вино	*wieno*
wijnkaart *4.2*	карта вин	*karta wien*

wijzen *2.2*	показать	*pakazat*
wijzigen	изменить	*iezmjəniet*
wind *3.4*	ветер	*weetjər*
windscherm	ветровой щит	*wjətrawoj ssjiet*
winkel *10*	магазин	*maĝazien*
winkelcentrum *10*	торговый центр	*tarĝowy tsentr*
winter *1.1*	зима	*ziema*
wisselen *8.1, 9.1*	обменять	*abmjənjat*
wisselgeld *4.3, 8.2*	сдача	*zdatsja*
wisselkantoor *8.1*	пункт обмена валюты	*poenkt abmjena waljoety*
wisselkoers *8.1*	валютный курс	*waljoetny koers*
wit	белый	*bjely*
witlof	брюссельский лоф	*brjoeseelskie lof*
wodka	водка	*wotka*
woensdag *1.1*	среда	*srəda*
wol *10.3*	шерсть	*sjeerst*
wond *13.2*	рана	*rana*
wonen *3.1*	жить	*zjyt*
woord *9.1*	слово	*slowo*
woordenboek	словарь	*slawar*
worst	колбаса	*kalbasa*
wortel	корень	*korjən*

Y

yoghurt	кефир	*kjefier*

Z

zaal (in theater) *11.3*	зал	*zal*
zakdoek	носовой платок	*nasawoj platok*
zakenreis *5.1*	деловая поездка	*djəlawaja pajestka*
zakmes *10.1*	складной нож	*skladnoj nosj*
zalf *13.4*	мазь	*mas*
zandstrand *12.2*	песчаный пляж	*pjəssjany pljasj*
zaterdag *1.1*	суббота	*soebota*
zebrapad *5*	зебра	*zebra*
zee *12.2*	море	*morjə*
zeef *10.1*	решето	*resjəto*
zeem *10.1*	замша	*zamsja*
zeep	мыло	*mylo*

zeepdoos *10.1*	мыльница	*mylnietsa*
zeeppoeder *10.1*	стиральный порошок	*stieralny parasjok*
zeeziek: hij is	его укачало	*jəwo oekatsjalo*
zeggen *13.3*	сказать	*skazat*
zeilboot	парусная лодка	*paroesnaja lotka*
zeilen	плавать	*plawat*
zelfde	тот же самый	*tot zjə samy*
zelfontspanner	автоспуск	*aftospoesk*
ziek *13.2*	больной	*balnoj*
ziekenauto *14.1*	скорая помощь	*skoraja pomassj*
ziekenfonds *13.3*	больничная касса	*balnietsjnaja kasa*
ziekenhuis *13.3*	больница	*balnietsa*
ziekte *13*	болезнь	*baleezn*
zilver	серебро	*serəbro*
zin hebben *3.7*	хотеть	*chatjeet*
zin (woorden)	предложение	*prədlazjeeniejə*
zitplaats *6.3*	сидячее место	*siedjatsjəjə mjesto*
zitten *3.2*	сидеть	*siedjeet*
zoek (kwijt) *14.2*	потсрянный	*patjeerjəny*
zoeken *14.5*	искать	*ieskat*
zoet *4.2*	сладкий	*slatkie*
zoetjes (zn) *4.7*	таблетки сахарина	*tabljetkie sacharíena*
zomer *1.1*	лето	*ljeto*
zomertijd	летнее время	*ljeetnjəjə wreemja*
zon *7.2*	солнце	*sontsə*
zondag *1.1*	воскресенье	*waskrəseenjə*
zonnebaden *12.2*	загорать	*zaĝarat*
zonnebrandcrème *10.1, 12.2*	крем для загара	*krjem dlja zaĝara*
zonnebrandolie	масло от солнечных ожогов	*maslo at solnjətsjnych azjoĝaf*
zonnebril *10.1, 12.2*	тёмные очки	*tjomnyjə atsjkie*
zonnehoed *10.1, 12.2*	шляпа от солнца	*sjljapa at sontsa*
zonnescherm *7.4*	ширма от солнца	*sjyrma at sontsa*
zonnesteek *13.2*	солнечный удар	*solnjətsjny oedar*
zonsondergang *3.7*	заход солнца	*zachot sontsa*
zonsopgang *3.7*	восход солнца	*waschot sontsa*
zool *10.3*	подошва	*padosjwa*
zoon *3.1*	сын	*syn*
zout (zn)	соль	*solj*
zuid *1.6*	юг	*joek*
zuivel *10.3*	молочные продукты (mv)	*malotsjnyjə pradoekty*
zuiveringszout *10.1*	слабительная соль	*slabietjəlnaja solj*

zure room *10.3*	сметана	*smjətana*
zus *3.1*	сестра	*səstra*
zuur *4.2*	кислый	*kiesly*
zwaar (tabak)	крепкий	*krepkie*
zwaar	тяжёлый	*tjəzjoly*
zwak	слабый	*slaby*
zwanger *13.3*	беременная	*bjəreemjənaja*
zwart	чёрный	*tsjorny*
zweefvliegen	лететь на планёре	*ljətjeet na planjorjə*
zweer *13.2*	нарыв	*naryf*
zweet *6.3*	пот	*pot*
zwembad *7.1, 12.2*	бассейн	*baseejn*
zwembroek *12.2*	плавки (mv)	*plafkie*
zwemmen *3.7, 12.2*	плавать	*plawat*

Beknopte grammatica

Het Russisch kent geen lidwoorden. дом (*dom* = huis) kan betekenen een huis, het huis of huis.
Wel zijn er de aanwijzende voornaamwoorden этот/тот (*etat/tot* = dit/dat)
этот/тот дом (*etat/tot dom* = dit/dat huis)
Net als het Duits kent het Russisch drie geslachten: mannelijk, vrouwelijk en onzijdig. De algemene regel is:
woorden, eindigend op een medeklinker zijn mannelijk:
Дом (*dom* = huis)
woorden, eindigend op een a zijn vrouwelijk:
девушка (*djewoesjka* = meisje)
woorden, eindigend op een o zijn onzijdig:
письмо (*piesmo* = brief)

Het bijvoeglijk naamwoord richt zich (ook weer zoals in het Duits) naar het zelfstandige naamwoord waar het bij hoort en kent derhalve ook drie geslachten.
mannelijk, eindigend op ый (*y*) of ой (*oj*)
красивый дом (*krasiewy dom* = een mooi huis)
другой дом (*droeĝoj dom* = een ander huis)
vrouwelijk eindigend op ая (*aja*)
красивая девушка (*krasiewaja djewoeska* = een mooi meisje)
onzijdig, eindigend op oe (*ojə*)
красивое письмо (*krasiewojə piesmo* = een mooie brief)
Voor het meervoud kent het bijvoeglijk naamwoord één vorm, eindigend op ые (*yjə*)
красивые дома (*krasiewyjə dama* = mooie huizen)
красивые девушки (*krasiewyjə djewoesjkie* = mooie meisjes)
красивые письма (*krasiewyjə piesma* = mooie brieven)

In dit boekje zijn in principe de mannelijke uitgangen gegeven, waar relevant tussen haakjes gevolgd door de vrouwelijke uitgang. Dit is bijvoorbeeld het geval bij de weergave van verleden tijdsvormen die in het Russisch net als de bijvoeglijke naamwoorden naar geslacht worden onderscheiden:
я был *ja byl* ik (een man) was
я была *ja byla* ik (een vrouw) was
In het Russisch ontbreekt het woord 'zijn' in de tegenwoordige tijd:
он врач *on wratsj* hij is arts
она красивая девушка *ana krasiewaja djewoesjka* zij is een mooi meisje

Het Russisch kent een uitgebreid systeem van naamvallen, dat zowel de zelfstandige naamwoorden, bijvoeglijke naamwoorden, voornaamwoorden en deelwoorden betreft. In deze beknopte grammatica kan hierop niet ingegaan worden.

Tenslotte volgen hier nog de sterk van het Nederlands afwijkende constructies voor de werkwoorden 'zijn' en 'hebben':

я	ik (ben)	*ja*
ты	jij (bent)	*ty*
он/она	hij/zij (is)	*on/ana*
мы	wij (zijn)	*my*
вы	jullie (zijn)/u bent	*wy*
они	zij (zijn)	*anie*

у меня есть ...	ik heb …	*oe mjənja jeest…*
у тебя есть ...	jij hebt …	*oe tjəbja jeest…*
у него/неё ...	hij/zij heeft …	*oe njəwo/njəjo jeest…*
у нас есть ...	wij hebben …	*oe nas jeest…*
у вас есть ...	jullie hebben/u heeft …	*oe was jeest…*
у них есть ...	zij hebben …	*oe niech jeest…*

Notities/aantekeningen

Notities/aantekeningen

Notities/aantekeningen

Notities/aantekeningen

Notities/aantekeningen

Notities/aantekeningen

Notities/aantekeningen